Dreimal Deutsch

In Deutschland In Österreich In der Schweiz

von Uta Matecki
unter Mitarbeit von Stefan Adler

Ernst Klett Sprachen
Stuttgart

Dreimal Deutsch
Verlagsleitung: Sabine Amoos-Kerschner
Redaktion: Michael Spencer
Bildredaktion: Cornelia Haupt, Hildegard Fuchs
Gestaltung: Wendi Watson
Umschlaggestaltung: Ira Häußler
Grafik: Cyber Media
Druck: Printed in Italy

Internet: www.klett-edition-deutsch.de
E-Mail: edition-deutsch@klett.de

1. Auflage 1 6 5 4 | 2008 2007 2006

Alle Drucke dieser Auflage können nebeneinander benutzt werden, sie sind untereinander unverändert. Die letzte Zahl bezeichnet das Jahr des Druckes.

ISBN 3-12-675235-7

Quellennachweis: Abbildungen

Umschlag: Corel Coperation; MEV, Augsburg; MEV, Augsburg; Ernst Klett Sprachen GmbH, Stuttgart; dpa Picture Alliance, Frankfurt, PictureDisk; Creativ Collection; Mauritius

Buch: Archiv Bayerischer Tourismusverband e.V. (S. 73)
Heinrich Bauer Verlag, Hamburg (S. 59 *Bravo* und *TV Movie*)
Bayer Vital GmbH & Co. KG (S. 55 *Aspirin*)
Ralf Brinkhoff/STELLA Musical Management GmbH (S. 30 unten)
Brauerei Beck & Co (S. 55 *Bier*)
Bund Verlag, Frankfurt am Main (S. 56 unten)
Bündnis 90 Die Grünen (S. 47 *Die Grünen-Logo*)
CDU (S. 47 *CDU-Logo*)
Jan Chipps (S. 9 oben links, S. 16 oben, S. 18 *Mieter*)
COMET, Zürich (S. 53 unten)
© DACS,1999, *Großstadt*, Otto Dix (S. 39 oben)
DAG (S. 25 *DAG-Logo*)
Daimler-Chrysler AG (S. 55 *Mercedes*)
Deutsche Bahn AG (S. 62 Mitte, S. 68 oben, S. 82 unten)
dpa, Frankfurt am Main (S. 43 unten, S. 45 oben)
dpa-Sportreport (S. 27 Mitte)
Drubba GmbH, Titisee (S. 72 unten)
FAN/Lüneburg (S. 19 oben, S. 25 unten, S. 32 oben, S. 35 oben, S. 54, S. 59 Mitte, S. 62 unten, S. 63 unten, S. 64 *Kreidefelsen*, S. 65 oben, S. 66 unten, S. 89 oben, S. 96 links, Mitte und rechts, S. 101)
F.D.P. (S. 47 *F.D.P.-Logo*)
Filmpark Babelsberg (S. 30 oben)
Fremdenverkehrsverband Lüneburger Heide e. V. (S. 62 oben)
Fremdenverkehrsverein Miltenberg am Main e.V. (S. 6 *Miltenberg*)
Freundin-Verlag, München (S. 59 *Freundin*)
G.A.F.F./Kaiser (S. 61 unten)
GEW (S. 25 *GEW-Logo*)
Graphische Sammlung Albertina, Wien, Albrecht Dürer *Junger Hase* (S. 48 unten links)
Ian Griffiths (S. 55 und S. 71 Porträts)
Grundig (S. 55 *Fernseher*)
Harry Hardenberg (S. 64 *Rathaus Stralsund*)
Hensoldt AG/Zeiss Gruppe (S. 55 *Fernglas*)
Hofer/Kurdirektion Bad Ischl (S. 79 Mitte und unten)
D. Jacobs, Trier (S. 6 *Porta Nigra*)
Kärnten Werbung Marketing & Innovationsmanagement GmbH (S. 83 oben)
Kaufhaus des Westens, Berlin (S. 33 oben)
Stephanie Kerschner (S. 13 links, S. 34 oben, S. 57 unten, S. 59 oben)
Klett-Perthes (S. 7 *Karte*)
Urs Kluyver, Hamburg (S. 32 unten)
Kongress- und Tourismuszentrale Nürnberg (S. 14 unten links)
Kurbetriebe der Landeshauptstadt Wiesbaden (S. 68 unten)
Kunsthalle Mannheim/Margitta Wickenhäuser (S. 52 oben)
Landesbildstelle Berlin (S. 18 *sanierte Plattenbauten*, S. 42

Mitte, S. 45 Mitte, S. 61 oben)
Lossen/Merges Verlag, Heidelberg (S. 22 oben)
Marie Marcks, Heidelberg (S. 105)
Uta Matecki (S. 12)
MIKADO (S. 64 *Marienkirche Lübeck*)
Nolde-Stiftung Seebüll, Emil Nolde, *Meer im Abendlicht* (S. 51 Mitte links)
Österreich Werbung/Bartl (S. 32 Mitte, S. 76 *Kaffeehaus* und *Kaffee*, S. 77 unten)
Österreich Werbung/Bohnacker (S. 75 *Melk*)
Österreich Werbung/Carniel (S. 78 *Weinfass*)
Österreich Werbung/Diejun (S. 78 *Kellergassen*)
Österreich Werbung/Fankhauser (S. 15 oben)
Österreich Werbung/Herzberger (S. 80 oben, S. 82 Mitte)
Österreich Werbung/Kuhn (S. 17 oben rechts)
Österreich Werbung/Jezierzanski (S. 74 oben)
Österreich Werbung/Landova (S. 18 *Karl-Marx-Hof in Wien*)
Österreich Werbung/Lehmann H. (S. 35 oben)
Österreich Werbung/Markowitsch (S. 14 oben links, S. 76 *Riesenrad*, S. 85 Mitte)
Österreich Werbung /Maier (S. 30 Mitte)
Österreich Werbung/Mayer (S. 75 *Klosterneuburg*, S. 77 oben)
Österreich Werbung/Niederstrasser (S. 15 unten)
Österreich Werbung/Popp G. (S. 6 *UNO-CITY*, S. 75 *Donauauen*)
Österreich Werbung/Schreiber (S. 14 unten rechts)
Österreich Werbung/Simoner (S. 78 *Baden* und *Payerbach*)
Österreich Werbung/Sochor (S. 27 unten)
Österreich Werbung/Trumler (S. 17 oben links)
Österreich Werbung/H. Wiesenhofer (S. 16 unten, S. 34 Mitte, S. 85 oben)
Österreich Werbung/Wiesenhofer (S. 76 *Stephansdom*, S. 84 oben)
Österreichische Galerie Belvedere Wien (S. 71 C.D.Friedrich, *Felsenlandschaft im Elbsandsteingebirge*, S. 77 Gustav Klimt, *Adele Bloch-Bauer 1*)
ÖTV (S. 25 *ÖTV-Logo*)
"PA" News Photo Library London (S. 46 oben)
PDS (S. 47 *PDS-Logo*)
Presse- und Informationsamt des Landes Berlin (S. 49 oben, S. 60 oben und Mitte)
Rosi Radecke (S. 69 unten)
Jens Rufenach/FAN (S. 21, S. 29 oben, S. 33 unten, S. 48 oben)
Sächsische Landesbibliothek, Staats- und Universitätsbibliothek Dresden, Deutsche Fotothek (S. 70 rechts)
Sächsische Landesbibliothek, Staats- und Universitätsbibliothek Dresden, Deutsche Fotothek/Hahn (S. 70 links)
SAK (S. 8 *EU-Flagge*, S. 9 oben rechts, S. 18 *Hauseigentümer* und *Eigenheim*, S. 19 Mitte und unten, S. 25 Mitte links, S. 35 unten, S. 45 unten, S. 48 unten rechts, S. 60 unten rechts, S. 90 unten, S. 96 *Jutta Christ*, S. 98 rechts)
Saline Hallein (S. 82 oben)
Salzburger Land (S. 6 *Berglandschaft*, S. 27 oben, S. 79 oben)
Schmiederer/Innsbruck Tourismusverband (S. 81 oben)
Sylvia Scholz/Humboldt-Universität Berlin (S. 50 oben)
Schweizer Verkehrszentrale (S. 89 unten, S. 115 unten)
Schweizer Verkehrszentrale /Ph. Giegel (S. 92 unten)
Schweizer Verkehrszentrale /P. Maurer (S. 88 oben, S. 90 Mitte
Schweizer Verkehrszentrale /W. Storto (S. 92 oben)
Schweiz Tourismus L. Degonda (S. 90 oben)
Schweiz TourismusPh. Giegel (S. 87 unten)
Schweiz Tourismus/F. Penninger (S. 88 unten)
Schweiz Tourismus/C. Sonderegger (S. 28 oben, S. 93 oben)
Schweiz Tourismus/Wallis Tourismus (S. 86 oben)
Siemens Elektrogeräte GmbH (S. 13 rechts, S. 55 *Haushaltgerät*)
David Simson (S. 17 unten, S. 20, S. 22 unten links und rechts, S. 29 unten, S. 31 oben)
Michael Sondermann/Presseamt der Stadt Bonn (S. 66 oben)
SPD (S. 47 *SPD-Logo*)
Michael Spencer (S. 56 oben und Mitte, S. 91, S. 98 links und Mitte, S. 115)
Erich Spiegelhalter (S. 6 *Titisee im Schwarzwald*)
Spielzeugmuseum Seiffen (S. 14 oben rechts)
Städtisches Verkehrsamt Sankt Goarshausen (S. 67 oben)
Margarete Steiff GmbH (S. 55 *Kuscheltiere*)
Steirische Tourismus GmbH (S. 84 unten)
Ingelore Steuernagel (S. 19 Mitte rechts)
Stiftung Deutsche Kinemathek (S. 100)
Süddeutscher Verlag Bilderdienst (S. 11, S. 25 oben rechts, S. 28 unten, S. 36 unten, S. 37, S. 38, S. 39 unten links und rechts, S. 40 oben, S. 41 unten links und rechts, S. 42 oben, S. 44 unten, S. 50 Mitte und unten, S. 52 unten, S. 53 oben, S. 80 unten, S. 81 unten links, S. 85 unten, S. 99)
Süddeutscher Verlag Bilderdienst/Wilhelm Albrecht (S. 81 unten rechts)
Süddeutscher Verlag Bilderdienst/Thomas Exler (S. 26 unten)
Süddeutscher Verlag Bilderdienst/Fotoagentur Hartung (S. 67 unten)
Süddeutscher Verlag Bilderdienst/Geschwister-Scholl-Archiv, Jürgen Wittenstein (S. 41oben)
Süddeutscher Verlag Bilderdienst/David Hornback (S. 9 unten)
Süddeutscher Verlag Bilderdienst/Siegfried Kachel (S. 57 oben)
Süddeutscher Verlag Bilderdienst/Reinhold Lessmann (S. 43 oben)
Süddeutscher Verlag Bilderdienst/Erika Sexauer (S. 83 *Ingeborg Bachmann*)
Süddeutscher Verlag Bilderdienst/Sven Simon (S. 26 oben)
Süddeutscher Verlag Bilderdienst/Strobel (S. 40 unten)
Süddeutscher Verlag Bilderdienst/teutopress, Bielefeld (S. 42 unten, S. 83 *Peter Handke*)
Süddeutscher Verlag Bilderdienst/vario-press, Bonn (S. 8, S. 44 oben)
Süddeutscher Verlag Bilderdienst/Manfred Vollmer (S. 51 rechts)
Thüringer Tourismus GmbH (S. 49 unten, S. 69 oben)
Tourismus Bündner Herrschaft (S. 93 *Heidi-Alm* und *Heidi-Haus*)
Tourismus-Marketing-GmbH Baden-Württemberg (S. 72 oben)
Tourismusverband Rügen e. V. (S. 64 *Strandkörbe*, S. 65 unten)
Tourismusverband Schleswig-Holstein e. V. (S. 63 *Hallig*)
Victorinox (S. 87 oben)
Kalle Waldinger (S. 31 unten links)

Quellennachweis: Textausschnitte

Peter Bichsel, *Des Schweizers Schweiz*, Suhrkamp Verlag, Frankfurt (S. 114)
Theodor Fontane, *Wanderungen durch die Mark Brandenburg*, Ullstein Verlag, Berlin (S. 65)
Max Frisch, Suhrkamp Verlag, Frankfurt am Main (S. 53)
Max von der Grün, *Was ist eigentlich passiert?*, In: Ingeborg Drewitz *Städte 1945*, Eugen Diederichs Verlag, Köln, mit freundlicher Genehmigung von Max von der Grün (S. 42)
Erich Kästner, *Als ich ein kleiner Junge war*, Cecilie Dressler Verlag, Hamburg (S. 70)
Kurt Tucholsky, *Gesammelte Werke in 10 Bänden*, Rowohlt Verlag, Reinbeck (S. 38)

Inhalt

Auf den ersten Blick

Landschaften

1 Können Sie die abgebildeten Landschaften und Städte auf der nachfolgenden Karte finden?

Die mächtige Porta Nigra *in Trier ist nur eines der zahlreichen Zeugnisse römischer Architektur in Deutschland.*

Die sanft hügelige Landschaft beim Titi-See lässt sich zu Fuß und zu Boot genießen.

Die mittelalterliche Stadt Miltenberg am Main liegt eingebettet in das Maintal zwischen Spessart und Odenwald. Hier wird man zu einer romantischen Reise in eine reiche Vergangenheit eingeladen.

Hohe Gipfel, Seen und Wälder laden Wanderer aus aller Welt in die Alpen ein.

Wien hat neben seinen historischen Denkmälern wichtige Zeugnisse der Gegenwart: z. B. die moderne UNO-City.

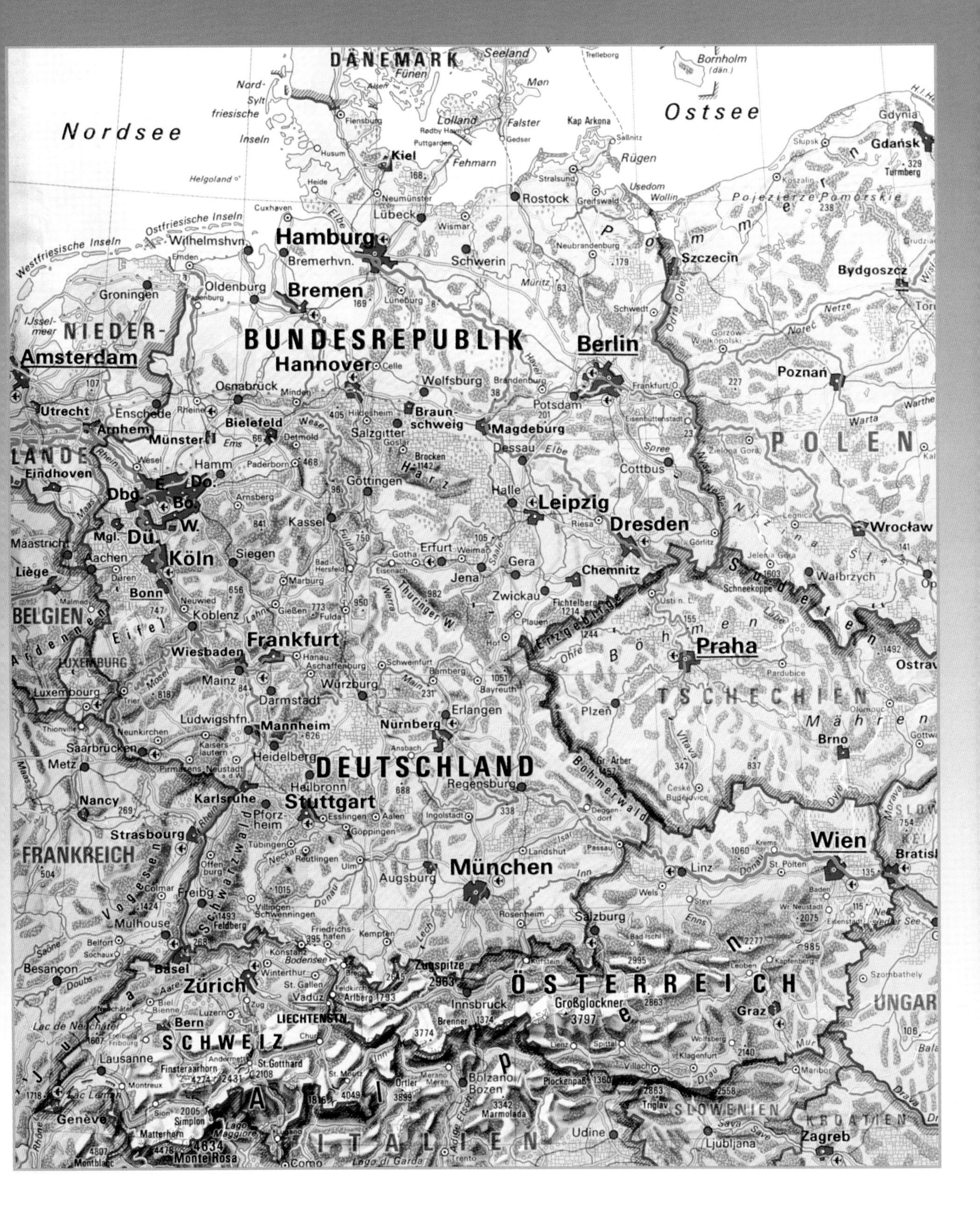
DÄNEMARK
Seeland
Fünen
Bornholm
Nordsee
Ostsee
Nord-
Sylt
friesische
Inseln
Lolland
Falster
Møn
Kap Arkona
Rügen
Fehmarn
Helgoland
Kiel
Flensburg
Husum
Heide
Neumünster
Stralsund
Rostock
Greifswald
Usedom
Wollin
Gdynia
Gdańsk
Słupsk
Koszalin
Pojezierze Pomorskie
Pommern
Cuxhaven
Ostfriesische Inseln
Westfriesische Inseln
Wilhelmshvn.
Hamburg
Bremerhvn.
Lübeck
Wismar
Schwerin
Neubrandenburg
Szczecin
Bydgoszcz
Emden
Groningen
Oldenburg
Papenburg
Bremen
Lüneburg
Müritz
Schwedt
Oder
Netze
Noteć
IJsselmeer
NIEDERLANDE
Amsterdam
BUNDESREPUBLIK
Berlin
Hannover
Celle
Wolfsburg
Brandenburg
Havel
Frankfurt/O.
Potsdam
Gorzów Wielkopolski
Poznań
Warthe
Warta
Osnabrück
Minden
Utrecht
Enschede
Rheine
Bielefeld
Hildesheim
Braunschweig
Magdeburg
Eisenhüttenstadt
Arnhem
Münster
Ems
Detmold
Weser
Salzgitter
Goslar
Dessau
Elbe
Spree
Zielona Góra
POLEN
Eindhoven
Wesel
Hamm
Paderborn
Brocken
Harz
Cottbus
Neiße
E.
Do.
Obg.
Bo.
W.
Arnsberg
Göttingen
Halle
Leipzig
Dresden
Riesa
Görlitz
Legnica
Wrocław
Maas
Maastricht
Mgl.
Dü.
Kassel
Fulda
Erfurt
Weimar
Gotha
Gera
Jena
Chemnitz
Jelenia Góra
Wałbrzych
Schneekoppe
Sudeten
Schlesien
Liège
Aachen
Köln
Siegen
Bad Hersfeld
Eisenach
Marburg
Düren
Bonn
Malmedy
Neuwied
Koblenz
Lahn
Gießen
Werra
Thüringer W.
Zwickau
Fichtelberg
Erzgebirge
Plauen
Ústí n. L.
BELGIEN
Ardennen
Eifel
Wiesbaden
Frankfurt
Hanau
Aschaffenburg
Schweinfurt
Hof
Böhmen
Praha
Ohře
Ostrava
LUXEMBURG
Luxembourg
Mosel
Trier
Mainz
Darmstadt
Würzburg
Main
Bamberg
Bayreuth
Pardubice
TSCHECHIEN
Erlangen
Plzeň
Mähren
Thionville
Neunkirchen
Ludwigshfn.
Mannheim
Nürnberg
Vltava
Brno
Saarbrücken
Kaiserslautern
Heidelberg
Ansbach
Metz
Pirmasens
Neustadt a.d.W.
DEUTSCHLAND
Gr. Arber
Böhmerwald
Heilbronn
Regensburg
České Budějovice
Nancy
Karlsruhe
Stuttgart
Pforzheim
Esslingen
Aalen
Ingolstadt
Deggendorf
Strasbourg
Rhein
Göppingen
Isar
Passau
Donau
Wien
FRANKREICH
Vogesen
Schwarzwald
Tübingen
Neckar
Reutlingen
Ulm
Landshut
Krems
Linz
St. Pölten
Bratislava
Offenburg
Colmar
Freibg.
München
Augsburg
Inn
Wels
Steyr
Baden
Villingen-Schwenningen
Mulhouse
Feldberg
Rosenheim
Salzburg
Wr. Neustadt
Neusiedler See
Belfort
Sochaux
Friedrichshafen
Kempten
Lech
Bad Ischl
Enns
Saône
Konstanz
Bodensee
Basel
Winterthur
Bregenz
Zugspitze
Kufstein
Leoben
Kapfenberg
Besançon
Doubs
Jura
Zürich
Aare
St. Gallen
Feldkirch
Arlberg
Innsbruck
ÖSTERREICH
Szombathely
Biel
Zug
Vaduz
Großglockner
Graz
UNGARN
Bern
Luzern
LIECHTENSTN.
Brenner
Alpen
Lac de Neuchâtel
Fribourg
SCHWEIZ
Chur
Wolfsberg
Mur
Lausanne
Andermatt
Finsteraarhorn
St. Gotthard
St. Moritz
Bolzano
Bozen
Plöckenpaß
Lienz
Spittal
Klagenfurt
Villach
Drau
Maribor
Drava
Montreux
Lac Léman
Ortler
Merano
Meran
Triglav
SLOWENIEN
KROATIEN
Genève
Sion
Simplon
Lago Maggiore
Marmolada
Adige
Etsch
Sava
Save
Matterhorn
ITALIEN
Udine
Ljubljana
Zagreb
Monte Rosa
Montblanc
Como
Lago di Garda
Trento
Rhône

In der Mitte Europas

1. Ist Ihr Land Mitglied in der EU?

2. Glauben Sie, dass Ihr Land davon profitiert (oder profitieren würde)?

In der EU

Die Bundesrepublik Deutschland gehörte zu den Gründungsmitgliedern der EWG, der Europäischen Wirtschaftsgemeinschaft. Seit 1995 hat der „Club“ – er heißt jetzt Europäische Union (EU) – erstmals eine gemeinsame Grenze mit Russland.

Nach dem Ende des Kalten Krieges und der Wende in Deutschland hat der Prozess der europäischen Einigung eine neue Dynamik bekommen. Der Europäische Wirtschaftsraum, zu dem auch Nicht-EU-Mitglieder wie das deutschsprachige Liechtenstein gehören, ist seit 1994 Realität. Das bedeutet: freier Verkehr „ohne Grenzen“ von Waren, Kapital, Dienstleistungen und Personen.

Die EU ist ein wichtiger Garant für die politische und wirtschaftliche Stabilität in ganz Europa geworden und wird sich in den nächsten Jahren weiter nach Osten ausdehnen.

Deutschland hat als stärkste Macht in der Gemeinschaft eine besondere Verantwortung und „handfeste“ Interessen: Ungefähr 60% aller deutschen Exporte gehen in andere EU-Länder.

Der Startschuss für die Währungsunion ist am 1. Januar 1999 gefallen. Deutschland und Österreich gehören von Anfang an zu den „Euroländern“.

Der Sitzungssaal des Europäischen Parlaments in Straßburg. Hier beraten Abgeordnete aus allen Mitgliedsstaaten.

Starker Partner

Anfang 1995 ist Österreich – zusammen mit Finnland und Schweden – neues Mitglied der EU geworden. Die Gemeinschaft hat durch die Aufnahme Österreichs gewonnen, denn die Wirtschaftskraft des Landes liegt über dem EU-Durchschnitt. Ein Blick auf die Europakarte zeigt außerdem, dass die Union durch die neuen Partner geografisch den osteuropäischen Ländern näher gekommen ist.

3. Welche der folgenden Staaten sind nicht in der EU?

Dänemark	Luxemburg
Niederlande	Griechenland
Österreich	Norwegen
Großbritannien	Portugal
Schweiz	

Fühlen Sie sich als Europäer?

„Als Europäer? Na, zuerst einmal bin ich Schweizer und dann vielleicht eher Weltbürger. Was Europa angeht, hat sich die Schweiz ja immer etwas draußen gehalten. Ich bin dafür, dass die Schweiz vor allem militärisch neutral bleibt. Aber wirtschaftlich und politisch gesehen brauchen wir Europa. Da müssen wir raus aus der Isolation!“

„Ja, sicher. Das hat bestimmt auch damit zu tun, dass ich beruflich und privat viel in Europa unterwegs bin. Europa ist in den letzten Jahren immer mehr zusammengewachsen. Ich glaube, besonders für den Frieden ist das wichtig und richtig. Wenn man bedenkt, dass die meisten Länder jahrhundertelang verfeindet waren …“

4 Stellen Sie sich vor, Sie sind Politiker und wollen Ihre Zuhörer von der Idee eines geeinten Europas überzeugen! Notieren Sie ein paar Stichwörter und halten Sie eine kurze Rede!

Zwischen Ost und West

Noch im Frühsommer 1989 standen sich in Europa zwei feindliche militärische Blöcke gegenüber. Der Gegensatz zwischen Ost und West spaltete Berlin, Deutschland und den ganzen Kontinent. Heute gibt es die Sowjetunion und den Warschauer Pakt nicht mehr. Einige der ehemaligen Ostblockstaaten wie z. B. Polen und Tschechien sind bereits Mitglieder der NATO.

Nach der Wiedervereinigung der beiden deutschen Staaten gab es bei den Nachbarn in Ost und West Ängste: Deutschland könnte vielleicht zu stark werden. Aber heute sind die Beziehungen, besonders zu den osteuropäischen Nachbarn, weitgehend geklärt und das Misstrauen beseitigt.

Nach dem Zusammenbruch des alten Systems ist die soziale und ökonomische Situation in Teilen Osteuropas gefährlich instabil. Die reicheren Länder müssen helfen, damit der Frieden gesichert bleibt. Die Bundesrepublik Deutschland hat dabei eine besondere Verantwortung.

Im September 1994 werden die Truppen der West-Alliierten feierlich verabschiedet. Wenige Tage zuvor hatten auch die letzten sowjetischen bzw. russischen Soldaten Deutschland verlassen.

5 Das Ende des Ost-West-Konflikts hat nicht alles zum Guten verändert. Welche negativen Folgen fallen Ihnen ein?

6 Wie waren die Reaktionen in Ihrem Land nach der Wiedervereinigung Deutschlands 1990?

Man spricht Deutsch

1 In wie vielen Nachbarländern der BRD wird Deutsch gesprochen?

2 Was finden Sie an der deutschen Sprache besonders schwierig?

Nicht nur in Deutschland

Deutsch ist die Muttersprache von rund 100 Millionen Menschen. Die meisten davon leben in der Bundesrepublik, in Österreich, in der Schweiz und in Liechtenstein. Diese Länder benutzen die gleiche Schriftsprache, aber es gibt große Dialektunterschiede. Manchmal ist der Unterschied in der Aussprache so groß, dass sich zwei „Muttersprachler“ nicht verstehen können!

Deutschsprachige Gebiete gibt es auch in Luxemburg, Belgien, Frankreich (Elsass) und in Italien (Südtirol). In der Tschechischen Republik und in Polen ist die deutschstämmige Bevölkerung als Minderheit anerkannt.

Deutsch ist zwar keine Weltsprache, aber es bleibt vor allem als Handelssprache in Europa wichtig. In der ganzen Welt lernen immerhin fast 20 Millionen Menschen Deutsch als Fremdsprache.

Es leben die Mundarten!

Bis ins Mittelalter gab es keine einheitliche deutsche Sprache. Die verschiedenen Stämme im deutschen Sprachraum hatten alle ihre eigenen Dialekte und Latein war lange Zeit die einzige Schriftsprache. Die süd- und mitteldeutschen Mundarten bildeten allmählich die deutsche Standardsprache.

Auch heute sprechen noch viele Leute Dialekt, zum Beispiel Hessisch, Alemannisch, Bayrisch, Sächsisch oder Tirolerisch. Die Sprecher des Plattdeutschen (platt = nieder) haben sogar ihre eigene Fernsehsendung: *Talk op Platt*.

Viele österreichische Dialekte sind mit dem Bairischen verwandt. In der deutschsprachigen Schweiz ist Schwyzerdütsch Umgangssprache für alle.

3 Wissen Sie, wie viele Menschen Ihre Sprache als Muttersprache sprechen oder lernen?

4 Gibt es in Ihrer Muttersprache Wörter, die aus dem Deutschen kommen?

5 Wo sprechen die Leute Plattdeutsch?

In einem bayrischen Dorf weiß man wahrscheinlich nicht, was eine Schrippe *ist. Aber alle kennen das Standardwort* Brötchen.

Das Buch der Bücher

Zwei Männer waren sehr wichtig für die Verbreitung der deutschen Schriftsprache.

Johannes Gutenberg erfand die moderne Druckpresse und stellte damit die ersten Bücher her. Seine Bibelausgabe von 1455 war aber noch auf Lateinisch.

Der Kirchenreformator Martin Luther schrieb Bücher auf Deutsch und übersetzte als Erster die ganze Bibel ins Deutsche. Die Nach- und Raubdrucke seiner Werke machten ihn zum ersten Bestsellerautor.

Um 1520 war jedes dritte Buch in deutscher Sprache von Luther.

Deutsche Sprache, ...

... schwere Sprache. Es ist nie einfach, eine fremde Sprache zu lernen und viele Leute glauben, Deutsch ist besonders schwierig. Sogar Martin Luther hatte sein ganzes Leben Probleme mit der Orthogra**ph**ie – oder Orthogra**f**ie, wie man jetzt schreiben darf.

Sprachen entwickeln und verändern sich ständig. Mit der Rechtschreibreform von 1996 ist vieles einfacher und logischer geworden, aber die meisten Leute gewöhnen sich schwer an die neuen Regeln. Schulanfänger und Ausländer, die Deutsch neu lernen, haben es leichter!

Deutsch ist sehr wortreich – man benutzt zwischen 300 000 und 500 000 Wörter. Was sind die größten Probleme? Die drei Artikel, die man auswendig lernen muss, und die vielen langen Wortzusammensetzungen.

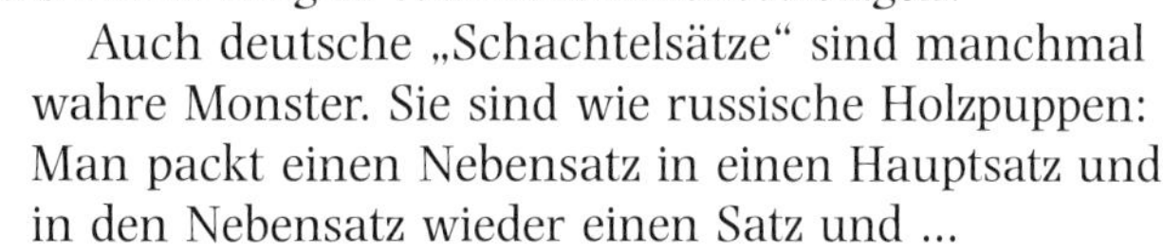

Auch deutsche „Schachtelsätze" sind manchmal wahre Monster. Sie sind wie russische Holzpuppen: Man packt einen Nebensatz in einen Hauptsatz und in den Nebensatz wieder einen Satz und ...

6 Was ist ein Raubdruck?

7 Welche Schwierigkeiten der deutschen Sprache werden im Text genannt?

8 Welches ist das längste Wort, das Sie auf Deutsch kennen?

Die liebe Familie

1 Was ist eine Familie? Eltern und Kinder? Gute Freunde? Oder ...?

„Zusammen sind wir 243 Jahre alt“

Urgroßmutter Emma heiratete schon mit 17 Jahren, bekam mit 18 ihr erstes Kind und hatte mit 32 schon sieben Kinder.

„Haushalt und Kinder, das war ganz allein meine Aufgabe. Mein Mann hat sich darum nie gekümmert. Aber trotzdem war er der Herr im Haus.“

„Mein Vater war sehr streng, wir Kinder haben ihn mehr gefürchtet als geliebt“, sagt ihre Tochter, Magdalene. Auch sie heiratete ziemlich früh und hatte fünf Kinder.

Elisabeth ist ihr zweites Kind: „Ich habe nur gute Erinnerungen an meine Kindheit. Meine Eltern waren zwar oft streng, aber es gab nie Schläge oder Ohrfeigen.“ Sie machte das Abitur und wurde Fremdsprachensekretärin. Heute, zwei Jahre nach der Trennung von ihrem Mann, arbeitet sie wieder. Aber es ist nicht leicht für sie, allein und unabhängig zu leben.

Ihre Tochter Sabine kann das nur schwer verstehen: „Kevins Vater und ich leben zusammen, aber wir wollen nicht heiraten. Ich verdiene mein eigenes Geld und wir teilen uns die Arbeit im Haushalt. Wir sind auch eine Familie, aber eben etwas anders als früher!“

Und Kevin? Er findet es gut, dass er so viele Omas hat!

Urgroßmutter Emma (91), Urgroßmutter Magdalene (73), Großmutter Elisabeth (50), Mutter Sabine (25) und Sohn Kevin (4) posieren für ein Familienfoto.

2 Wie sieht Kevins Stammbaum aus? Zeichnen Sie ihn und tragen Sie einige Namen ein!

3 Was macht Kevin später als Erwachsener vielleicht wieder anders?

4 Warum ist Sabine nicht verheiratet? Was meinen Sie?

Graue Power

Der Rentner Rudolf S. (74) fühlt sich nicht mehr einsam und nutzlos. Er wird noch gebraucht. Sein Name steht in der Kartei des *Senior Experten Service*, denn der ehemalige Unternehmer hat Fachwissen und jahrzehntelange Berufserfahrungen. Er hilft Firmen in Deutschland und im Ausland.

In der Bonner Zentrale der Organisation sind über 4500 „Experten mit weißen Haaren“ registriert. Projekte wie dieses geben den Alten sinnvolle Aufgaben in der Gesellschaft und die Jungen profitieren davon.

5 Sollen die Alten bei den Enkeln wohnen? Oder im Altenheim? Diskutieren Sie!

Weniger Kinder, mehr Alte

In Deutschland gibt es immer mehr alte Menschen. Die Geburtenrate sinkt. Viele Paare wollen nur noch ein Kind oder gar keine Kinder. Die Statistiker sagen voraus: Im Jahr 2040 sind 30 Prozent der Bundesbürger älter als 65 und immer mehr leben allein.

6 Welche Probleme bringt diese Entwicklung: a) für junge Leute; b) für alte Leute?

7 Wie ist das in Ihrem Land? Gibt es dort auch weniger Kinder und mehr alte Menschen?

Auf Neudeutsch: Restfamilie

Ungefähr 2,6 Millionen Kinder in Deutschland wachsen nur bei der Mutter oder dem Vater auf. Die „komplette" Familie ist trotzdem immer noch das Ideal. Viele Leute denken, dass Kinder ohne Vater (oder Mutter) große Probleme und Nachteile in ihrem Leben haben. Stimmt das?

» Aus mir ist auch ohne Vater etwas geworden. Er ist weggegangen, als ich fünf Jahre alt war. Erst seit kurzem habe ich wieder Kontakt zu ihm. Ehrlich gesagt, habe ich meinen Vater nicht groß vermisst. Meine Mutter und meine Großeltern haben sich gut um mich gekümmert. «

8 Was ist Ihre Meinung zu diesem Thema? Sind Sie in einer „kompletten" Familie groß geworden?

Beruf: Hausmann

Die meisten Männer in Deutschland arbeiten immer noch ganztags und die Frauen kümmern sich um Haushalt und Kinder. Aber zehn Prozent der deutschen Männer möchten gerne „Hausmann" sein – zumindest für ein paar Jahre. Tatsächlich gibt es aber sehr wenige Hausmänner. Das sind normalerweise jüngere, gebildete Männer mit progressiven Ideen – und ihre Partnerin hat einen guten Beruf.

» Ich hatte die Nase voll vom Stress im Beruf, meine Frau wollte ihre Karriere nicht aufgeben. Wir haben die Rollen einfach getauscht. Einige Ex-Kollegen lachen, aber ich bin ganz zufrieden. Die Hausarbeit finde ich langweilig, aber ich bin froh, dass ich so viel mit meinen Kindern zusammen sein kann. Andere Männer spielen doch höchstens am Wochenende den Papa. «

9 Suchen Sie Synonyme im Text oben für die folgenden Ausdrücke: glücklich, den ganzen Tag, in der Tat, nicht interessant, ein paar, ich hatte genug!

10 Gibt es in Ihrem Land den „Beruf" Hausmann? Was denkt man darüber?

Die Lichter brennen

1 Was feiern Sie gerne?

2 Kennen Sie einen typischen Weihnachtsbrauch aus den deutschsprachigen Ländern?

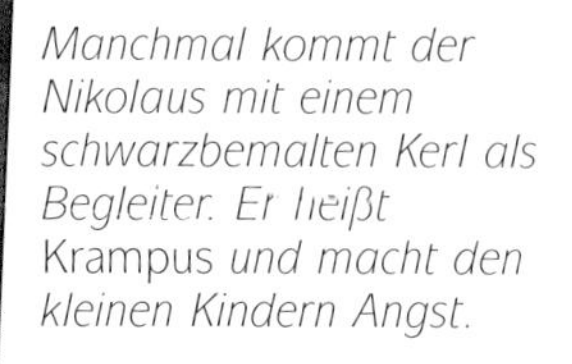

Manchmal kommt der Nikolaus mit einem schwarzbemalten Kerl als Begleiter. Er heißt Krampus *und macht den kleinen Kindern Angst.*

Advent, Advent

Der Advent beginnt vier Sonntage vor dem Weihnachtsfest. In den Wohnungen, aber auch in öffentlichen Gebäuden oder am Arbeitsplatz, sieht man grüne Adventskränze mit vier roten Kerzen. An den vier Sonntagen vor dem *Heiligen Abend* zündet man jeweils eine Kerze an. Die Kinder bekommen einen Adventskalender: Darin finden sie Schokolade oder kleine Geschenke für jeden Tag vom 1. bis zum 24. Dezember.

Der 6. Dezember ist der Nikolaustag. Am Abend vorher stellen die Kinder ihre Schuhe vor die Tür. Am nächsten Morgen finden sie dann Süßigkeiten und kleine Geschenke darin. Sie glauben, der Nikolaus hat sie gebracht.

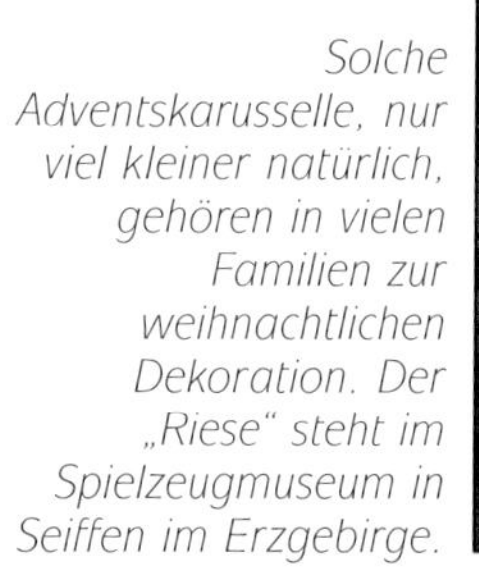

Solche Adventskarusselle, nur viel kleiner natürlich, gehören in vielen Familien zur weihnachtlichen Dekoration. Der „Riese" steht im Spielzeugmuseum in Seiffen im Erzgebirge.

Die Weihnachtszeit ist heute oft hektisch und von Kommerz bestimmt. Aber einige Weihnachtsmärkte sind noch sehr stimmungsvoll – der Christkindlmarkt hier in Nürnberg ist schon 350 Jahre alt.

In der Adventszeit bastelt und backt man viel zu Hause.

3 Viele Leute finden, die Weihnachtszeit hat nichts mehr mit Christi Geburt zu tun. Was meinen Sie?

Alle Jahre wieder

Weihnachten ist immer noch das wichtigste Familienfest. Es beginnt in Deutschland am Abend des 24. Dezember, dem *Heiligen Abend*. Die Eltern und die älteren Kinder schmücken den Weihnachtsbaum während des Tages. Am Abend ist dann die Bescherung – man verteilt die Geschenke. Die kleinen Kinder glauben, dass das Christkind (sie stellen es sich als Engel vor) oder der Weihnachtsmann die Geschenke bringt. Oft sagen die Kinder ein kleines Gedicht auf und viele Familien singen zusammen Weihnachtslieder.

An den Weihnachtsfeiertagen (am 25. und 26. Dezember) isst und trinkt man sehr viel. Typische Weihnachtsgerichte sind gebratene Gans, gefüllt mit Äpfeln und Rosinen, Truthahn oder Karpfen.

Der Tannenbaum als Weihnachtssymbol kommt ursprünglich aus Deutschland. Heute hat man in vielen Ländern der Erde einen Weihnachtsbaum.

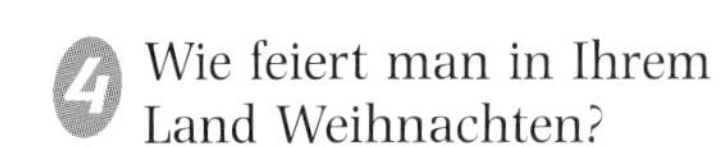

4 Wie feiert man in Ihrem Land Weihnachten?

Wie die Nachbarn feiern

Auch in Österreich und der Schweiz liegen am 24. Dezember die Geschenke unter dem Weihnachtsbaum. In katholischen Familien steht dort auch oft eine Krippe mit der Heiligen Familie im Stall von Bethlehem.

Der 24. Dezember war früher bei den Katholiken ein Fasttag. Deshalb gibt es vor allem in einigen Regionen Österreichs am Heiligen Abend ein ganz einfaches Essen, z. B. Fisch oder Würstchen. Gläubige besuchen natürlich an diesem Abend auch den Gottesdienst, die Weihnachtsmesse.

In der Schweiz arbeitet man am 24. Dezember oft bis 16 Uhr und hat dann wenig Zeit für Essensvorbereitungen. In vielen Familien gibt es Fondue oder gefüllte Pasteten. Am ersten Weihnachtsfeiertag kommt traditionellerweise Geflügel auf den Tisch: Gans, Ente oder auch Truthahn. Und zwischendurch locken selbstgebackene *Guetzli* (Schwyzerdütsch für Plätzchen, Kekse) oder Christstollen und Lebkuchen.

Im Salzburger Land sammeln die Sternsinger Geld für die Armen.

5 Was ist eine Krippe?

Kirche, Feste und Bräuche

1 Welche Feste und Bräuche in Ihrem Land sind ursprünglich religiös?

Silvester

Am Silvesterabend (31. Dezember) finden überall Partys und Silvesterbälle statt. Die Leute feiern mit der Familie und Freunden, meistens sehr laut und lustig. Ein beliebter Silvesterbrauch ist das Bleigießen: Man schmilzt Blei und taucht es in Wasser. Aus den entstehenden Formen und Figuren versucht man die Zukunft zu lesen.

Um Mitternacht trinken alle Sekt und wünschen sich „ein frohes neues Jahr". Dann geht man nach draußen und bewundert das Feuerwerk und zündet selbst ein paar Raketen und Knaller an.

2 Wie feiert man in Ihrem Land den Jahreswechsel?

Kirche und Glaube

	D	A	CH
katholisch	*34,4%	78,0%	46,1%
protestantisch	35,3%	5,0%	40,0%
andere	† 2,9%	4,5%	5,0%
keine Angaben	27,4%	12,5%	8,9%

* In Süddeutschland ist der Anteil der Katholiken sehr viel höher.
† Unter den anderen Konfessionen ist der Islam in Deutschland die größte. Die Angehörigen sind zu 80% türkische Bürger.

„Nee, ich hab mit der Kirche eigentlich nichts zu schaffen. Früher, zu DDR-Zeiten, hieß es ja sowieso: Religion is' Opium fürs Volk. Da waren nur wenige in der Kirche, die meisten in der evangelischen. Ich find's aber gut, wenn die Kirchen sich um Kranke oder Alte kümmern. Und letztes Jahr war ich sogar am Weihnachtsabend im Gottesdienst – meiner Mutter zuliebe!"

In Österreich gibt es spezielle Traditionen wie z. B. die Palmweihe.

Ostern

Ostern ist ein christliches Fest, aber die Bräuche kommen aus der Zeit vor dem Christentum. Der „Osterhase" bringt kleinen Kindern Süßigkeiten und versteckt sie in der Wohnung und im Garten. Die Kinder suchen die Eier und Hasen aus Schokolade.

3 Beschreiben Sie die Osterbräuche in Ihrer Heimat!

4 Wie wichtig ist die Religion für die Menschen in Ihrem Land?

Karneval

Im Rheinland sagt man Karneval, in Schwaben und in der Schweiz Fas(t)nacht und in Bayern Fasching. In diesen Regionen feiert man die Karnevalszeit im Februar auch am intensivsten.

Im Mittelalter und noch früher wollten die Menschen mit hässlichen Masken und viel Lärm die Geister des Winters vertreiben. Man feiert den Karneval sehr unterschiedlich in den einzelnen Regionen, aber Singen, Tanzen, viel Lärm und (viel) Alkohol gehören immer dazu.

Kostüme und Masken gehören zum Karnevalstreiben.

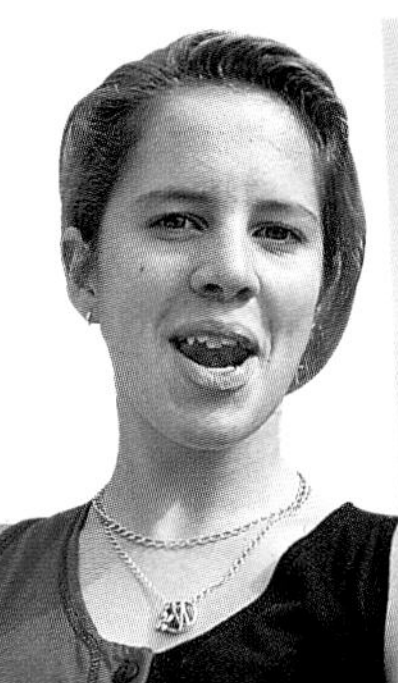

„Ich bin in Köln geboren und aufgewachsen und ein Jahr ohne Karneval kann ich mir überhaupt nicht vorstellen. Richtig los geht es am Donnerstag vor Aschermittwoch mit der Weiberfastnacht. Am Rosenmontag und Faschingsdienstag feiern alle draußen auf den Straßen und Plätzen. Das Schöne am Karneval für mich ist, dass die Leute den normalen Alltag einfach mal vergessen."

5 Richtig oder falsch?

a Am Rosenmontag und am Faschingsdienstag ist in Köln am meisten los.

b In der Schweiz heißt der Karneval Fasching.

c Beim Rosenmontagsumzug feiern alle auf den Straßen.

6 Gibt es in Ihrem Land auch Karneval? Oder andere Feste, für die man sich verkleidet?

Brezeln, Bier und Blasmusik

Das Münchner Oktoberfest ist für die vielen Besucher aus aller Welt d a s deutsche Bierfest. Es beginnt schon im September, endet am ersten Sonntag im Oktober und hat seit 1810 fast jedes Jahr stattgefunden. Früher war das Oktoberfest auch Messe und Markt für die Landwirtschaft; heute ist es eine riesige Kirmes mit Essen, Trinken und bayrischer Folklore.

Jede der großen Münchner Brauereien stellt ein eigenes Bierzelt auf. Wer dort als Kellnerin arbeiten will, muss kräftig sein: fünf bis sechs Maß Bier (1 Maß = 1 Liter) in jeder Hand sind keine Kleinigkeit!

7 Schreiben Sie mit Hilfe der statistischen Informationen einen kurzen Bericht (z. B.: Das Münchner Oktoberfest hat über 6 Millionen Besucher ...)!

So wohnt man

1 Wie wohnen die Teilnehmer in Ihrem Kurs? Machen Sie eine Umfrage!

Mieten oder besitzen?

Nur 40% der Bundesbürger besitzen eine Eigentumswohnung oder ihr eigenes Haus, viel weniger als in anderen europäischen Ländern. Nur in der Schweiz gibt es noch weniger Haus- und Wohnungseigentümer. Fast zwei Drittel der Wohnungen in Deutschland sind Mietwohnungen.

Wer die Miete (durchschnittlich 16,5% des Nettoeinkommens) nicht „verschenken" möchte, kauft eine Wohnung oder lässt ein Haus bauen. Normalerweise nimmt man dafür einen hohen Kredit von der Bank auf. Die stolzen Besitzer eines neuen Eigenheims sind also erst einmal „haushoch" verschuldet.

Um ihren Traum vom Eigenheim – und sei es nur ein Reihenhaus – zu verwirklichen, investieren viele Familien eine Menge Geld und Arbeit!

„Also ich finde es besser zur Miete zu wohnen. Gerade in der heutigen Zeit ist es doch wichtig mobil zu bleiben. Außerdem könnte ich nachts nicht mehr ruhig schlafen, wenn ich so hohe Schulden hätte wie die meisten Häuslebauer."

„Ein eigenes Haus ist doch eine tolle Sache. Hier kann mir niemand Vorschriften machen oder kündigen. Meine Frau und ich haben alles nach unseren Vorstellungen geplant. Wenn alles gut geht, sind wir in zehn Jahren schuldenfrei. Wer zur Miete wohnt, schmeißt sein Geld doch zum Fenster raus."

2 Was sind die Vor- und Nachteile einer Mietwohnung?

Wohnungen in diesen schnell und billig hochgezogenen Fertigbauten („Plattenbauten") waren zu DDR-Zeiten sehr begehrt. Inzwischen wurde ein Großteil mit viel Geld saniert.

3 Was sind Plattenbauten? Wo findet man sie?

4 Sehen Sie sich die Fotos an! Wo möchten Sie am liebsten wohnen?

5 Beschreiben Sie Ihr persönliches Traumhaus!

Diese kommunalen Wohnanlagen wie der Karl-Marx-Hof sind in den 20er-Jahren in Wien entstanden. Man nannte sie Volkswohnpaläste, *weil sie mit Bädern, Kindergärten und Waschküchen komfortabel und sozial waren.*

Statistisch gesehen ...

... wohnen die Deutschen nicht schlecht. Sie haben ausreichend Platz: im Durchschnitt über 30 Quadratmeter pro Person. Und die meisten haben Heizung, Bad/Dusche und WC. Haushalte, die wenig Einkommen haben, können Wohngeld beantragen (das ist ein Zuschuss zur Miete) oder das Sozialamt übernimmt die Mietzahlung.

Statistisch gesehen ... sind aber auch über eine Million Menschen in Deutschland obdachlos. Es gibt zu wenig preiswerte Sozialwohnungen und immer mehr Menschen, die aus dem sozialen Netz rausfallen. Vor allem allein stehende Arbeitslose und Ausländer, aber auch Rentner und kinderreiche Familien, landen in Heimen und Containern oder im schlimmsten Fall auf der Straße.

„Ich bin arbeitslos geworden, konnte die Miete nicht mehr zahlen. Zuerst bin ich bei 'nem Kumpel untergekommen. Aber das war alles ziemlich stressig, seine Freundin wollte mich raushaben. Jetzt schlafe ich im Heim. Mit dem Verkauf der Obdachlosenzeitung verdien' ich 'n paar Euro. Is' nicht viel, aber vielleicht komm' ich dadurch wieder hoch."

6 Welche Hilfen gibt es für sozial schwache Mieter?

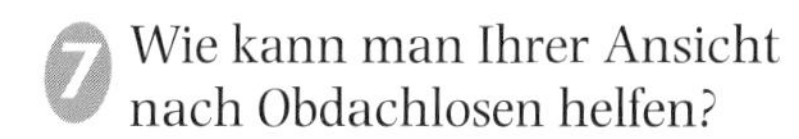

7 Wie kann man Ihrer Ansicht nach Obdachlosen helfen?

Deutschland privat

Das deutsche Wort „Gemütlichkeit" lässt sich nur schwer in andere Sprachen übersetzen. Die Deutschen, Österreicher und Schweizer haben es gern gemütlich und sie verbringen viel Zeit in ihren vier Wänden. Der zentrale Raum ist meistens das Wohnzimmer.

Es ist fast überall ähnlich eingerichtet: es gibt ein bequemes Sofa mit passenden Sesseln, einen niedrigen Couchtisch, eine Schrankwand oder Bücherregale, Stehlampen, einige Zimmerpflanzen, nicht zu vergessen die Kissen auf dem Sofa und die Bilder an der Wand darüber.

Meistens hängen Gardinen und Vorhänge an den Fenstern. So will man seine private Sphäre vor fremden Blicken schützen.

8 Beschreiben Sie die zwei Wohnzimmer!

a Gibt es Unterschiede?
b Wer wohnt hier, meinen Sie?
c Sehen Wohnzimmer in Ihrem Land anders aus?

Schul- und Lehrjahre

1 Wann beginnt in Ihrem Land die Schulpflicht? Wann endet sie?

Schule muss sein!

Schüler in Deutschland gehen im Durchschnitt lange zur Schule. Es kann sein, dass sie erst mit 20 oder sogar 21 Jahren mit der Schule fertig sind!

Ab drei Jahren gehen viele Kinder in den Kindergarten. Wenn sie sechs Jahre alt sind, beginnt mit der Grundschule der „Ernst des Lebens“. Am ersten Schultag bekommt jedes Kind eine Schultüte – das ist eine große, bunte Papptüte mit Bonbons und kleinen Geschenken.

In der ersten und zweiten Klasse ist der Unterricht noch sehr spielerisch. Ab der dritten Klasse schreiben die Schüler regelmäßig Klassenarbeiten und bekommen Noten dafür. Wenn ein Schüler am Ende des Schuljahrs sehr schlechte Noten hat, muss er die Klasse wiederholen. „Sitzen bleiben“ nennt man das.

„Bei uns fängt der Unterricht um acht an. Aber ich muss nur zweimal in der Woche bis zwanzig nach eins bleiben. An den anderen Tagen kann ich schon früher gehen. Wir haben eine große Pause und später noch eine kleine, aber die vergehen immer viel zu schnell. Zum Mittagessen gehe ich nach Hause. Manchmal gehe ich nachmittags in die Schule, aber freiwillig. Ich mache bei zwei Arbeitsgruppen mit – bei der Tanz- und der Theater-AG.“

2 Was bedeutet „sitzen bleiben“?

3 Schreiben Sie einem Freund in Deutschland und berichten Sie von Ihrem Schulalltag!

Die richtige Wahl

Nach der Grundschule gibt es drei große Schultypen: Hauptschule, Realschule und Gymnasium. Eine Alternative dazu ist die Gesamtschule. Dort sind alle drei Schulformen unter einem Dach und für die Schüler ist es einfacher, den Schultyp zu wechseln.

Die Hauptschule endet mit der 9. oder 10. Klasse. Die meisten Jugendlichen machen dann eine Lehre und besuchen gleichzeitig die Berufsschule.

Die Realschule bereitet auf technische, kaufmännische und soziale Berufe vor. Realschüler machen nach der 10. Klasse ihren Abschluss, die sogenannte Fachoberschulreife. Mit diesem Abschluss kann man später auch noch studieren.

Gymnasiasten gehen am längsten zur Schule: bis zum Abitur nach der 12. oder 13. Klasse. Dann sind sie aber noch lange nicht mit der Ausbildung fertig. Viele Abiturienten machen heute zusätzlich eine Lehre, bevor sie zur Universität gehen.

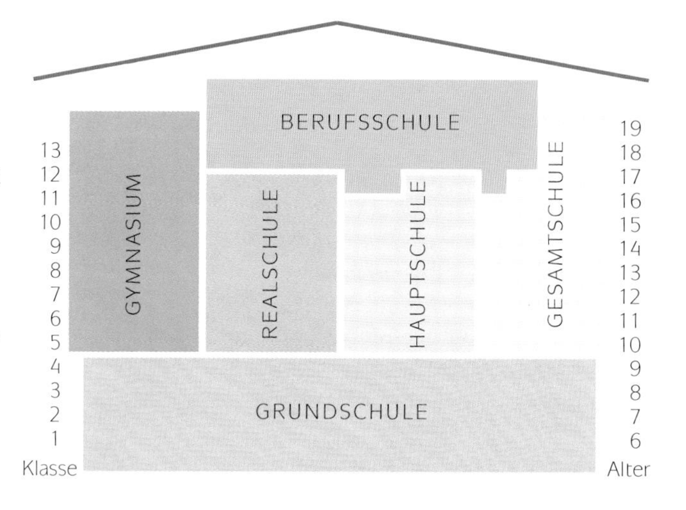

Andere Schulsysteme

In Österreich ist das Schulsystem ähnlich wie in Deutschland. In der Schweiz jedoch spielen die politischen, kulturellen und sprachlichen Unterschiede eine Rolle. Es gibt 26 Kantone und deshalb auch 26 verschiedene Schulstrukturen. Das Abitur heißt in beiden Ländern Matura.

Waldorfschulen

Nur wenige Schüler in Deutschland besuchen private Schulen. Waldorfschulen gibt es aber in jeder größeren Stadt. Der Name kommt von der Waldorf-Astoria-Zigarettenfabrik in Stuttgart. Der Österreicher Rudolf Steiner hat dort im Jahre 1919 die erste Waldorfschule aufgebaut. Sie war für die Kinder der Fabrikarbeiter.

An diesen sogenannten freien Schulen gibt es kein Sitzenbleiben und kein traditionelles Notensystem. Die Waldorfschüler haben Unterricht in allen üblichen Fächern und werden auf staatliche Prüfungen vorbereitet, aber die handwerkliche und künstlerische Erziehung ist auch sehr wichtig. Neben Malen, Musik und Eurythmie lernen die Schüler auch Tischlern, Töpfern, Buchbinden und vieles mehr.

Rudolf Steiner, Gründer der Waldorfschulen, und heutige Waldorfschüler in Lüneburg.

4 In welchen Punkten unterscheiden sich Waldorfschulen von staatlichen Schulen?

Lehre oder Abi?

Stefanie macht jetzt seit einem Jahr eine Lehre als KFZ-Mechanikerin. Ihre Eltern wollten, dass sie erst das Abitur macht, aber Stefanie sagt, dass sie ja nach der Lehre noch an die Fachoberschule gehen und dann studieren kann.

Stefanie ist froh, dass sie sich für einen technischen Beruf entschieden hat. Die Arbeit in der Werkstatt macht ihr Spaß, auch wenn sie abends schmutzig und hundemüde nach Hause kommt. Einmal in der Woche muss sie in die Berufsschule. Dort hat sie weiter allgemeinen Unterricht in Fächern wie Deutsch, Englisch, Sport, aber auch in speziellen berufstheoretischen Fächern.

Michael geht noch ins Gymnasium und macht dieses Jahr Abitur. Er möchte Journalist werden. Hier beschreibt er seine Pläne.

»Nach dem Abitur möchte ich erstmal ein Jahr lang was ganz anderes machen. Ich werde in Neuseeland auf einem Bauernhof arbeiten. Wenn ich zurückkomme, möchte ich Politik und Chinesisch studieren. Das Studium kann ziemlich lange dauern. Ich schätze, dass ich erst mit 27 fertig bin!«

5 Kennen Sie Frauen, die in traditionellen Männerberufen arbeiten oder umgekehrt?

Noch mehr Bildung

1 Wie lange dauert in Ihrem Land ein Studium?

2 Muss man Studiengebühren bezahlen?

TOP 10

Zahl der Studienanfänger

Betriebswirtschaft	19 429
Rechtswissenschaft	14 080
Germanistik	12 530
Bauingenieurwesen	9 841
Wirtschafts-wissenschaften	9 275
Medizin	7 087
Elektrotechnik	6 623
Maschinenbau	6 394
Architektur	5 574
Biologie	5 179

An der Uni

Viele Studenten an einer deutschen Uni haben erst mit 28 Jahren oder noch später ihr Diplom in der Tasche. Fast zwei Drittel aller Abiturienten entscheiden sich für ein Hochschulstudium: das bedeutet – theoretisch – acht oder neun Semester studieren, pro Jahr zwei Semester. Warum dauert dann ein Studium in Deutschland durchschnittlich 13 Semester?

Die Studiengebühren sind noch sehr niedrig, aber Wohnen und Lebenshaltung sind teuer. Viele Studenten müssen deshalb neben dem Studium jobben. Die jungen Männer müssen nach dem Abitur erstmal zur Bundeswehr oder Zivildienst leisten.

Zahlreiche Studenten wechseln auch nach einigen Semestern das Studienfach.

Jura und Betriebswirtschaft gehören seit Jahren zu den Einschreibungshits der deutschen Studenten. Die beliebtesten Universitätsstädte sind München, Berlin und Köln.

Die Universität Heidelberg ist Deutschlands älteste.

Studieren – wie und wo?

Für Susanne aus Ingolstadt war es gar nicht so einfach, einen Studienplatz in München zu bekommen. In ihrem Fach Medizin gibt es nur eine begrenzte Anzahl Studienplätze: die Abiturnoten und eine Aufnahmeprüfung entscheiden.

Auch andere Fächer wie Jura und Maschinenbau sind überlaufen. Die Seminare sind überfüllt und persönliche Kontakte zwischen Professoren und Studenten gibt es selten. Trotzdem will Susanne nirgendwo anders hin. Denn in München ist immer etwas los und Jobs für Studenten gibt es auch.

Andreas aus Köln ist zum Studium nach Ostdeutschland gegangen. Er studiert seit drei Semestern an der Fachhochschule Neubrandenburg Agrarwirtschaft.

In Neubrandenburg gibt es ein paar Kneipen und Klubs und man lernt sehr schnell andere Studenten kennen.

In den Seminaren gibt es noch genügend Sitzplätze und die Dozenten und Professoren haben immer ein offenes Ohr und Zeit für die Studenten.

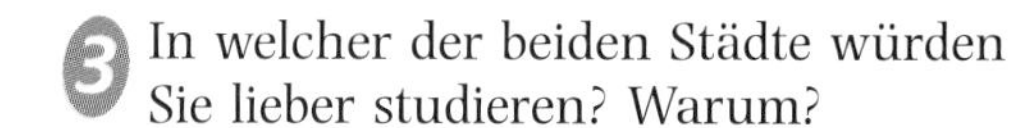

3 In welcher der beiden Städte würden Sie lieber studieren? Warum?

Praxis ist alles

In manchen Fächern ist das Studium viel zu theoretisch und bereitet nicht wirklich aufs Arbeitsleben vor.

„Haben Sie schon Berufserfahrung?" Diese Frage hören viele Studenten, wenn Sie nach dem Studium einen Arbeitsplatz suchen. In einigen Fachbereichen, z. B. bei den Ingenieuren, gehören Praktika vor Beginn und während des Studiums dazu. Aber Studenten anderer Fachrichtungen lernen an den Unis vor allem graue Theorie.

Ein zusätzliches Praktikum, das meistens mehrere Monate dauert, bringt deshalb Pluspunkte bei der Bewerbung. Das wissen auch die Unternehmen: Sie zahlen oft für das Praktikum keinen Cent!

4 Haben Sie Ideen, wie man das beschriebene Problem der Studenten anders lösen könnte?

Ein Leben lang lernen

Früher haben Schule und Universität das Wissen für ein ganzes Leben vermittelt. Heute versteht man Bildung als einen Lernprozess, der sich durch das ganze Leben zieht. Für viele Berufstätige bedeuten neue Technologien und Arbeitsmethoden, dass sie immer dazu lernen müssen. Größere Unternehmen organisieren Schulungen und Trainingsprogramme für ihre Mitarbeiter.

In einigen deutschen Bundesländern können Arbeitnehmer sogar extra Urlaub für Weiterbildung nehmen – bezahlt natürlich!

In größeren Orten der Bundesrepublik gibt es die Volkshochschulen. Sie bieten ein Bildungsprogramm für alle Bevölkerungs- und Altersgruppen an. Man kann dort für wenig Geld eine Fremdsprache lernen, an einem Computer-Kurs oder einem Yoga-Kurs teilnehmen oder sich mit politischen, literarischen und wissenschaftlichen Themen beschäftigen.

„Nachdem meine Kinder aus'm Gröbsten raus waren, wollte ich wieder arbeiten. Ich hab ja Fremdsprachensekretärin gelernt, aber heute verlangen natürlich alle Computerkenntnisse. Da hab ich an der VHS einen Jahres-Lehrgang besucht. So hab ich's dann geschafft wieder in meinen alten Beruf reinzukommen."

5 Welche Möglichkeiten der Weiterbildung finden Sie im Text?

6 Was kann man an einer Volkshochschule lernen?

Das halbe Leben

1. „Arbeit ist das halbe Leben", sagt ein deutsches Sprichwort. Wie verstehen Sie diese Aussage? Welchen Platz soll die Arbeit im Leben einnehmen? Was meinen Sie?
2. Die Deutschen und ihr Verhältnis zur Arbeit: Was fällt Ihnen dazu ein?

Arbeitsleben

In aller Welt sind die Deutschen berühmt für ihren Arbeitsfleiß und ihre Disziplin. Die Statistiker dagegen nennen die Deutschen „Freizeit-Weltmeister", weil sie relativ wenig arbeiten und viele freie Tage haben.

Die Arbeitsbedingungen sind in Deutschland genau geregelt. Jemand, der eine reguläre Anstellung hat, ist rechtlich und sozial weitgehend geschützt.

Aber die wirtschaftlichen und sozialen Strukturen in Deutschland ändern sich. Die Situation auf dem Arbeitsmarkt und im Beruf ist härter geworden. Arbeitslosigkeit ist inzwischen ein Teil der Lebenserfahrung vieler Menschen in Deutschland, egal ob Jung oder Alt, Mann oder Frau, Akademiker oder Nicht-Akademiker.

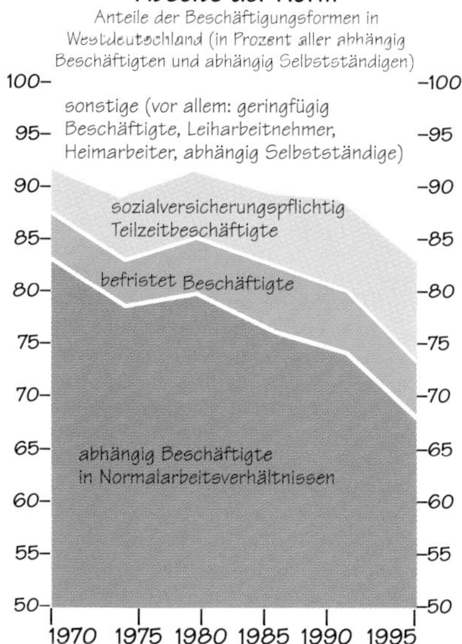

In Zukunft werden Arbeitsverhältnisse, die nicht mehr so sicher und stabil sind, normal sein: Anstellung auf Zeit, Leiharbeit, freiberufliche Tätigkeit usw.

Mehr Arbeit

Verglichen mit Deutschland und Österreich arbeiten die Schweizer mehr: die durchschnittliche Arbeitszeit beträgt 42,3 Stunden. Schweizer Arbeitnehmer gehören aber auch zu den bestbezahlten aller Industrieländer. Die Arbeitslosenquote in der Schweiz ist relativ niedrig. Auch Österreich hat weniger Arbeitslose als die meisten EU-Länder.

3. Wie stellen Sie sich Ihre berufliche Zukunft vor?

Arbeit und Soziales

Arbeitszeit pro Woche	38,4 Stunden im Durchschnitt; 1994 Einführung der 35-Stunden-Woche
Bezahlter Urlaub	Durchschnittlich sechs Wochen im Jahr
Krankheit, Krankenversicherung	In den ersten sechs Wochen zahlt der Arbeitgeber den Lohn weiter, danach zahlen die Krankenkassen Krankengeld (max. 78 Wochen)
Pflegeversicherung	Finanziert die Hilfe für Menschen, die Pflege brauchen, z. B. Behinderte oder chronisch Kranke
Arbeitslosenversicherung	Arbeitslosengeld, Erziehungsgeld, Weiterbildung und andere Hilfen werden aus dieser „Kasse" gezahlt
Rentenversicherung	Das Eintrittsalter für Rentner liegt zwischen 60 und 65

Für die gesamte Sozialversicherung zahlen Arbeitnehmer in Deutschland über 20% ihres Lohns.

4. Vergleichen Sie die Sozialversicherung in Deutschland mit dem Versicherungssystem in Ihrem Land!

Bei VW arbeiten

Der Volkswagenkonzern besitzt in Deutschland acht Fabriken. Die größte davon ist das VW-Werk in Wolfsburg. Hier arbeiten ungefähr 48 000 Menschen, viele von ihnen im Team und in Schichten. Volkswagen hat die 30-Stunden-Woche eingeführt und damit Jobs gerettet. Aber die Arbeiter verdienen auch weniger als früher.

5 Glauben Sie, dass bald immer mehr Menschen 30 Stunden (und weniger) pro Woche arbeiten?

Auf dem Arbeitsamt

Endstation Arbeitsamt? Eins ist sicher: Die Angestellten der deutschen Arbeitsämter haben genug zu tun. Aber sie können nicht allen weiterhelfen. Besonders schwierig ist die Situation für die sogenannten Langzeit-Arbeitslosen.

»Vor drei Jahren hatte ich die Bandscheibenoperation und das war's. Eineinhalb Jahre hab ich Krankengeld bekommen, danach Arbeitslosengeld vom Arbeitsamt. Das reicht kaum zum Leben. Ich hab keine große Hoffnung, dass ich nochmal Arbeit finde. Zu alt, sagen die auf 'm Arbeitsamt.«

»Nach dem ersten Kind und zwei Jahren Erziehungsurlaub hatte ich wieder meinen alten Arbeitsplatz im Kindergarten, aber dann kam Lorenz. Als allein stehende Mutter mit zwei Kindern voll berufstätig? Ich weiß nicht mehr, wie ich das geschafft habe. Aber vom Arbeitslosengeld oder von Sozialhilfe hätten wir überhaupt nicht leben können.«

6 Welche besonderen sozialen und psychischen Probleme können Langzeit-Arbeitslose haben? Was denken Sie?

Gewerkschaften

Ungefähr jeder dritte Arbeitnehmer ist in Deutschland Mitglied einer Gewerkschaft. Es gibt acht Einzelgewerkschaften; sie sind im Deutschen Gewerkschaftsbund zusammengeschlossen. Im Vergleich zu anderen europäischen Ländern wird in Deutschland nicht sehr oft gestreikt.

Die größte Einzelgewerkschaft im Deutschen Gewerkschaftsbund (DGB) ist die Dienstleistungsgewerkschaft ver.di, die aus dem Zusammenschluss von fünf Gewerkschaften entstanden ist. Wenn die Mitglieder dieser Gewerkschaft streiken, wird das öffentliche Leben besonders gestört.

ver.di

In der Gewerkschaft Erziehung und Wissenschaft sind besonders viele Frauen organisiert, vor allem Erzieherinnen und Lehrerinnen.

Sport

1 Kennen Sie Sportler aus Deutschland, Österreich oder der Schweiz? Welche Sportarten üben diese Sportler aus?

„König Fußball“

Spieler wie Uwe Seeler, Günter Netzer, Franz Beckenbauer und Jürgen Klinsmann, Vereine wie Borussia Dortmund, Schalke 04, Hamburger SV: Fußballfans in aller Welt kennen diese Namen.

Über 5,6 Millionen Mitglieder und mehr als 100 000 Mannschaften sind heute im Deutschen Fußballbund (DFB) organisiert. Auch bei Mädchen und Frauen ist Fußball der beliebteste Mannschaftssport. Fast jedes Dorf hat seinen Fußballklub. Ohne die lokalen Amateur- und Jugendvereine wäre der deutsche Fußball nicht das, was er ist: Ein Spiel um Millionen (Euro), aber auch für und von Millionen.

Beckenbauer zeigte der Welt, dass auch ein deutscher Fußballer elegant und leichtfüßig spielen kann.

Kaiser Franz

Der Franz, der kann's: das Fußballspielen natürlich! Er begann seine Karriere als Spieler des erfolgreichen F.C. Bayern und war ab 1965 in der Nationalmannschaft. Franz Beckenbauer wurde zweimal Weltmeister: einmal als Spieler 1974 in Deutschland und einmal als Bundestrainer 1990 in Italien. Als Präsident des F.C. Bayern ist der „Kaiser“ dem Fußball bis heute treu geblieben.

2 Wann machte Beckenbauer was? Finden Sie die passende Jahreszahl: 1965, 1974, 1990!

a Er trainierte die deutsche Weltmeister-Mannschaft.
b Er spielte zum ersten Mal für Deutschland.
c Er spielte für Deutschland im Endspiel der Weltmeisterschaft.

Die Sensation! Boris Becker, 17 und völlig unbekannt, wird 1985 Sieger in Wimbledon. Der sympathische Tennisstar repräsentiert heute den Typ des intelligenten und weltoffenen Sportlers.

Tennis und mehr

Tennis ist nicht mehr ein Spiel nur für die „bessere Gesellschaft“, sondern ein Sport für alle. Nach den Erfolgen von Becker und Graf war Deutschland im „Tennisfieber“.

Aber das Turnen ist bei den Deutschen noch beliebter als Tennis, vor allem bei Mädchen und Frauen.

Auf Platz 4 der Sportparade findet man den Schießsport, dicht gefolgt von den Leichtathleten.

Auch das Laufen ist in Deutschland ein Volkssport. Jedes Jahr sind überall Volks- und Marathonläufe: Tausende von Menschen aller Altersgruppen nehmen daran teil.

3 Tragen Sie die beliebtesten Sportarten und ihre Symbole ein!

Sportparade der Deutschen	
1	4 ....
2	5 ....
3	6 ....

4 Welche Sportarten sind in Ihrem Land beliebt?

Das Wandern ist ...

... des Müllers Lust. Wandern bedeutet für die Deutschen mehr als nur spazieren gehen oder Ausflüge machen. Um 1900 begeisterten sich junge Leute, Arbeiter und Studenten für das einfache Leben in der Natur und gründeten die „Wandervogel"-Bewegung. Heute geht es nicht mehr so romantisch zu wie damals, auch wenn man oft noch die alten Wanderlieder singt.

Die Deutschen sind auch gern mit dem Fahrrad unterwegs. Ausländer staunen oft über die vielen, gut markierten Radwege nicht nur in landschaftlich schönen Gebieten, sondern auch in der Stadt.

Ungefähr die Hälfte aller Urlauber in Österreich kommt zum Wandern. August und September sind ideale Monate dafür.

5 „Wandern", „spazieren gehen" – wie kann man sich noch zu Fuß fortbewegen? Suchen Sie weitere Verben im Wortfeld „gehen"!

Sport alpin

Bergsteigen und Skifahren – die Alpen sind in Europa das Eldorado für Anhänger dieser Sportarten. Überall gibt es riesige Skigebiete, z. B. am Arlberg in Österreich oder in Zermatt und Davos in der Schweiz. Schon als kleines Kind lernt man dort auf den „Brettern" ins Tal zu sausen. Kein Wunder, dass die Schweiz und Österreich im Skisport ganz vorn liegen.

Nicht Österreicher oder Schweizer, sondern Engländer waren übrigens vor über 100 Jahren die sportlichen Pioniere in den Alpen. Seitdem hat sich viel verändert. Die Einsamkeit der Berge findet man heute kaum noch; der Massensport zeigt seine Schattenseiten: Hotels, Straßen, Skipisten und Seilbahnen zerstören an vielen Orten die natürliche Schönheit der Alpen.

Nicola Thost aus Pforzheim war 1998 Olympiasiegerin auf dem Snowboard.

Der österreichische Extremkletterer Thomas Bubendorfer liebt das Risiko. Ganz allein ohne Seil und ohne Haken „geht" er senkrechte Bergwände hoch wie hier im österreichischen Tennengebirge.

6 Warum macht man gefährliche Sportarten?

7 Finden Sie Wörter im Text, die etwas mit „Ski" zu tun haben (z. B. Skigebiete)!

Freizeit und Urlaub

Zu den aktiven Freizeit-Hits gehören das Joggen, Radfahren, Wandern und Spazierengehen.

1 Haben Sie mehr Freizeit als Ihre Eltern früher hatten? Diskutieren Sie!

Freizeit: aktiv und passiv

Wenn man den Statistiken glauben will, sind die Bundesbürger „Freizeit-Weltmeister". Was machen die Deutschen aber mit ihrer vielen freien Zeit?

Sie verbringen einen Großteil davon zu Hause: Musik hören, Fernsehen und Zeitung lesen sind die drei beliebtesten Beschäftigungen. Jeder Bundesbürger ab drei Jahren sitzt durchschnittlich 200 Minuten pro Tag vor dem Fernsehapparat. Trotzdem ist das Medium Buch nicht „out" – die Deutschen und Schweizer sind auch fleißige Bücherleser. Das kann man von den Österreichern nicht sagen: Über 42% lesen nie ein Buch. Dafür geht man im Alpenland öfter ins Theater.

Freizeit aktiv und kreativ nutzen – das machen zum Beispiel viele Teilnehmer der Volkshochschulen. Sie lernen dort Tango, Yoga oder auch Italienisch, sie hören literarische Vorträge und surfen durch das Internet.

2 Wie viele Fremdwörter erkennen Sie im Text? Machen Sie eine Liste!

3 Sehen Sie mehr oder weniger fern als die Deutschen?

4 Verbringen Sie Ihre Freizeit lieber aktiv oder passiv?

Das Vereinsleben

„Im Verein ist es doch am schönsten", sagt das Individuum und tut sich mit anderen zusammen.

Seit fast zwei Jahrhunderten gründen die Deutschen die sogenannten „Evaus" – e. V. bedeutet: „Eingetragener Verein". Nicht nur für Spaß und Sport, sondern auch um anderen zu helfen oder gemeinsame Interessen zu vertreten.

Tango tanzen, Tauben züchten, Skat spielen – für fast alle Freizeittätigkeiten gibt es den passenden Verein.

Man findet die meisten Mitglieder in Sportvereinen, Kegelklubs und Schützenvereinen. Auf dem Land sind die Vereine oft sehr klein und familiär. Andere Vereine, z. B. die erfolgreichen Fußballklubs, sind heute große Unternehmen mit viel Geld und professionellem Management. Viele Vereine haben ein eigenes Klubhaus oder Vereinslokal und organisieren auch gemeinsame Ausflüge und Feiern.

5 Machen Sie eine Liste der Vereine, die Sie im Text finden! Was macht man in diesen Vereinen?

Klein, aber grün

Egal, ob in Wien, Berlin, Dresden oder im Ruhrgebiet: Man findet inmitten vieler Städte die sogenannten Schrebergärten, kleine oder größere Gartenkolonien. Sie heißen so nach ihrem „Erfinder" Daniel Gottlob Schreber (1808–1861) aus Deutschland.

Gemüse, Obst und Kartoffeln aus dem eigenen Schrebergarten waren in wirtschaftlich schlechten Zeiten eine große Hilfe für ärmere Stadtbewohner.

Heute dienen diese kleinen Parzellen vor allem der Erholung. Übrigens: Auch die Freizeitgärtner sind im Verein organisiert und das sogenannte Bundeskleingartengesetz sorgt für Ruhe und Ordnung im Gartenparadies.

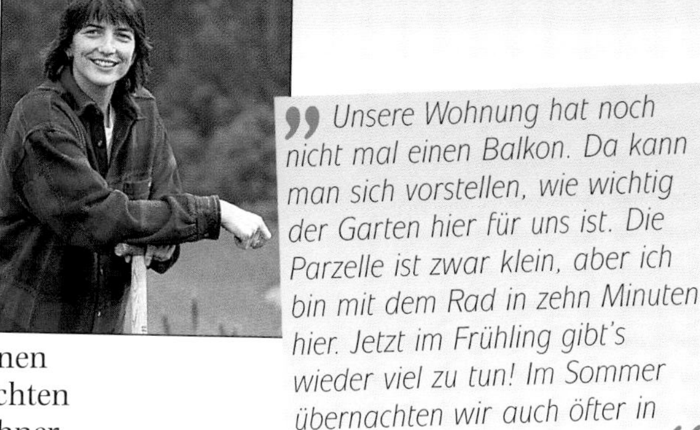

„Unsere Wohnung hat noch nicht mal einen Balkon. Da kann man sich vorstellen, wie wichtig der Garten hier für uns ist. Die Parzelle ist zwar klein, aber ich bin mit dem Rad in zehn Minuten hier. Jetzt im Frühling gibt's wieder viel zu tun! Im Sommer übernachten wir auch öfter in unserem Schrebergartenhaus."

6 Was sind die Unterschiede zwischen einem „normalen" Garten und einem Schrebergarten?

Die schönsten Tage

Die Deutschen haben viel Urlaub – meistens sechs Wochen im Jahr – und sie reisen gerne und fast überallhin.

Eine Kreuzfahrt auf dem Traumschiff bleibt für die meisten ein Traum. Aber Winterurlaub unter Palmen, wie z. B. auf den Kanarischen Inseln, ist für den Durchschnittsverdiener ganz normal.

Die beliebtesten Urlaubsländer sind Spanien, Italien, Österreich und die Türkei. Die Bundesbürger, die ihren Urlaub im Inland verbringen, fahren vor allem nach Bayern und an die See.

Nach der Wende 1989 wollten die ehemaligen DDR-Bürger endlich das westliche Ausland kennen lernen. Zu DDR-Zeiten haben sie meistens „organisierten Urlaub" im eigenen Land gemacht, an der Ostsee und in den Mittelgebirgen. Heute müssen diese Regionen in Sachen Tourismus mit dem Rest der Welt konkurrieren!

Auf Campingplätzen trifft man immer und überall deutsche Urlauber, ob mit kleinem Zelt oder mit teurem Wohnmobil.

Warm und sonnig

Wenn die Schweizer Urlaub machen, fahren sie am liebsten nach Frankreich, Spanien und Italien. Das benachbarte Deutschland steht als Urlaubsziel erst an vierter Stelle.

Wenn die Österreicher nicht im eigenen Land bleiben, bevorzugen sie ebenfalls die warmen Länder im Süden Europas: Italien, Kroatien, Griechenland, Spanien und die Türkei.

7 Was sind die beliebtesten Urlaubsziele der Deutschen, Österreicher und Schweizer?

8 Und Sie? Wohin fahren Sie gerne in Urlaub?

Wir gehen aus!

Seit 1912 werden in Babelsberg bei Potsdam Filme produziert. Viele berühmte Regisseure und Schauspieler, z. B. Fritz Lang und Marlene Dietrich, begannen hier ihre Karriere.

1. Haben Sie in letzter Zeit einen deutschsprachigen Film gesehen?
2. Kennen Sie Schauspieler oder Musiker aus deutschsprachigen Ländern?

Ins Kino gehen

Heute ist Deutschland mehr Fernseh- als Kino-Nation. Aber in den letzten Jahren registriert man wieder steigende Besucherzahlen. Vor allem junge Leute zwischen 15 und 30 Jahren gehen noch öfter ins Kino.

Die Kinogänger sehen am liebsten die großen Hollywood-Filme. Fremdsprachige Filme werden für die deutschen Kinos und auch für das Fernsehen synchronisiert. Deutsche Produktionen haben da einen schweren Stand. Nur einige Filme von jungen deutschen Regisseuren, meistens Komödien, waren in letzter Zeit auch kommerziell erfolgreich. Im Ausland finden diese Filme aber kein größeres Publikum.

3. Warum sind die deutschen Komödien wohl nur im Inland so erfolgreich?

Das Burgtheater in Wien ist eines der ältesten im deutschen Sprachraum und hat bis heute einen besonders guten Ruf.

Im Rampenlicht

Das Theater hat in Deutschland eine lange Tradition. Schon im 18. Jahrhundert hatten viele Landesherren in den Residenzstädten ihr eigenes Hoftheater. Deshalb gibt es noch heute nicht nur in den großen Städten, sondern auch in der Provinz bekannte Theaterhäuser.

Im Programm findet man bis heute sehr oft die Namen der „Klassiker": Goethe, Schiller, Brecht, Shakespeare und andere. Die vielen freien Gruppen der „Off"-Szene dagegen machen meist experimentelles Theater.

Fast alle deutschen Theater- und Opernhäuser können nur mit Unterstützung aus öffentlichen Kassen überleben. Jede Eintrittskarte ist mit knapp 100 Euro subventioniert.

Musicals haben Konjunktur. Einige Theaterhäuser wurden von den Veranstaltern speziell für diese Shows gebaut.

4. Ist das Theater noch „in" bei jungen Leuten? Berichten Sie von Ihren Erfahrungen!

„In" … … und „out"

„Seit einem halben Jahr steht meine Ausbildung an erster Stelle. An den Wochenenden treffe ich mich mit Freunden in Diskos oder Kneipen. Am liebsten bin ich aber mit der Clique an der frischen Luft am See oder im Kulturpark. Wir hören Musik – Hip-Hop, Rap und Soul – oder wir unterhalten uns einfach. Lesen ist bei mir auch „in" und ins Kino gehen, wenn gute Filme kommen."

„Zu Hause vor der Glotze rumhängen ist absolut „out". Rauchen ist auch nicht unbedingt „cool". Außerdem sind Leute „out", die sich immer nach dem neuesten Mode-Trend richten. Ich ziehe Klamotten an, in denen ich mich wohl fühle: am liebsten weite, bequeme Sachen!"

5 Was für Musik hören Sie gern?

6 Was unternehmen Sie mit Ihren Freunden am Wochenende?

7 Befragen Sie Ihren Nachbarn im Kurs nach seinen „ins" und „outs"! Berichten Sie von dem Ergebnis (schriftlich oder mündlich)!

Auf dem Wuppertaler Schüler-Rockfestival spielen junge Nachwuchsbands – oft zum ersten Mal – vor großem Publikum. Die besten Teilnehmer haben gute Chancen auf einen Plattenvertrag.

Das Fifty-fifty-Ticket

Die meisten finden die Idee super. Jugendliche zwischen 16 und 25 Jahren können nach dem Diskobesuch zum halben Preis mit dem Taxi nach Hause fahren. Ein großer Mineralölkonzern und eine Krankenkasse gehören zu den Sponsoren der Aktion. Auch Eltern und Großeltern kaufen die Rabatt-Tickets und lassen ihre Kinder und Enkel dann beruhigter in die Disko gehen. Leider gibt es diese gute Idee noch nicht in allen Bundesländern.

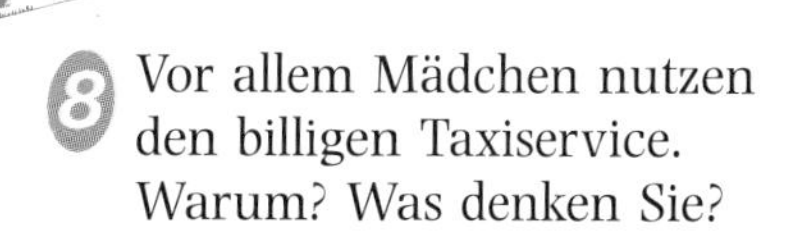

8 Vor allem Mädchen nutzen den billigen Taxiservice. Warum? Was denken Sie?

Sie wünschen?

1 Wo kaufen Sie die Dinge des täglichen Bedarfs?

Wer ist Tante Emma?

Der „Tante-Emma-Laden“ öffnet oft schon um sechs Uhr morgens, lange vor den Supermärkten. Die Kunden kommen meistens aus der Nachbarschaft.

„Tante Emma“ heißt in der Regel nicht Emma und ist auch nicht immer eine Frau. „Tante-Emma-Laden“ ist ein scherzhafter Name für die kleinen Gemischtwarenläden, wie es sie früher überall gab. Heute kämpfen diese Geschäfte ums Überleben. Die Ladenmieten steigen von Jahr zu Jahr und die Konkurrenz der Supermärkte und Selbstbedienungsläden ist zu groß. Man findet sie noch auf dem Dorf, aber in den Städten werden sie immer rarer.

„Schon als kleines Kind hab ich mit meiner Mutter hier eingekauft und immer 'nen Bonbon oder 'ne Lakritzrolle geschenkt bekommen. Hier kennen mich die Leute und es is' immer Zeit für 'n Schwätzchen. In 'n Supermarkt geh ich nur, wenn ich was Besonderes brauche.“

2 Was ist typisch für den „Tante-Emma-Laden“?

Wochenmarkt, Flohmarkt

Wer beim Einkaufen etwas erleben will und seine Sprachkenntnisse „testen“ möchte, der geht am besten auf den Markt. In Berlin z. B. gibt es in jedem Bezirk mehrere Wochenmärkte. Zweimal pro Woche kann man dort frische Lebensmittel und internationale Spezialitäten, aber auch Haushaltsartikel und Textilien einkaufen. Die Atmosphäre ist sehr lebhaft und das Publikum gemischt.

Sehr beliebt sind auch die Flohmärkte oder Trödelmärkte. Trödel bedeutet: billiger Kram, Altwaren, besonders Kleider, Möbel, Hausgerät. Auf den „schickeren“, teureren Märkten gibt es auch echte Antiquitäten, Schmuck und Kunsthandwerk.

Der Naschmarkt in Wien. „Nasch“ heißt Milcheimer, denn früher wurde hier Milch verkauft. Heute gibt es Obst, Gemüse und andere Frischwaren – und echt wienerische Atmosphäre.

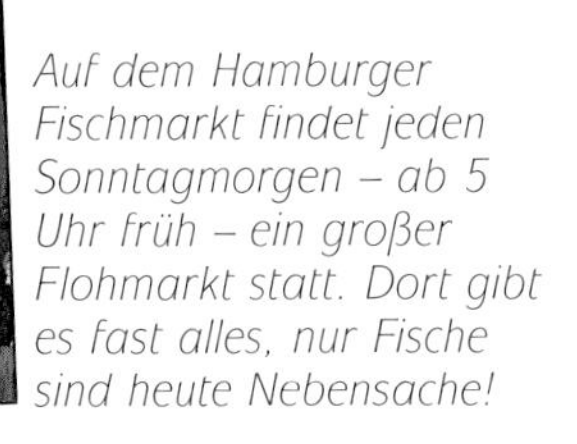

Auf dem Hamburger Fischmarkt findet jeden Sonntagmorgen – ab 5 Uhr früh – ein großer Flohmarkt statt. Dort gibt es fast alles, nur Fische sind heute Nebensache!

3 Welche Vorteile bietet das Einkaufen auf dem Markt?

4 Kaufen Sie auch manchmal gebrauchte Dinge? Was? Und wo?

Das KaDeWe

Das 1907 gegründete „Kaufhaus des Westens“ (kurz KaDeWe) in Berlin ist ein Kaufhaus der Superlative. Es ist das größte auf dem Kontinent. Man kann dort einen ganzen Tag verbringen und hat bestimmt noch nicht alles gesehen. Der Besucher findet im KaDeWe ein exklusives Angebot, aber auch das normale Kaufhaussortiment.

In der sechsten Etage in Europas größter Delikatessen-Abteilung gibt es fangfrische Fische und Meeresfrüchte, Obst und Gemüsesorten aus den fernsten Ländern, seltene Weine, Champagner und 1300 Sorten Käse. Viele Delikatessen kann man an kleinen Bars probieren. Allerdings muss man dafür mehr als nur Kleingeld in der Tasche haben.

Die Präsentation der Waren im KaDeWe ist eine Augenweide und das Personal ist besonders freundlich und sehr gut ausgebildet.

Grün einkaufen?

Einkaufszentren „auf der grünen Wiese“ sind nicht grün, sondern meistens hässliche, zubetonierte Areale am Stadtrand. Auch in den neuen Bundesländern schossen sie nach der Wende wie Pilze aus dem Boden und machen heute 60% der gesamten Verkaufsfläche aus.

Die Innenstädte wirken dort oft leer und leblos, weil die Bewohner zum Einkaufen lieber rausfahren – mit dem Auto natürlich!

Trotzdem denken auch viele Bundesbürger beim Einkaufen immer mehr an den Umweltschutz. Sie achten auf sparsame Verpackungen und kaufen Produkte mit dem Umweltzeichen *Blauer Engel*.

5 Was spricht für und was spricht gegen Einkaufszentren? Schreiben Sie eine Pro-Contra-Liste in Stichwörtern!

6 Kaufen Sie „grün“ ein? Was tun Sie für die Umwelt beim Einkaufen?

1997 hat die Bundesregierung das strenge Ladenschlussgesetz in Deutschland gelockert. Seit 2003 können die Geschäfte Montag bis Samstag bis 20 Uhr geöffnet bleiben.

Geschäftszeiten

Mo – Fr	9.30 – 20.00 Uhr
Sa	9.30 – 20.00 Uhr

Wer umweltfreundlich einkaufen will, sucht den Blauen Engel *oder* den Grünen Punkt *auf der Packung.*

Es gibt Essen!

1 Haben Sie schon mal typisch deutsches Essen probiert?

2 Kennen Sie auch Spezialitäten aus Österreich und der Schweiz?

Kandis und Klopse

Wer den Norden Deutschlands und die Küstenregionen besucht, macht wahrscheinlich zuerst Bekanntschaft mit den Trinkgewohnheiten. Dort trinkt man viel schwarzen Tee, mit süßer Sahne und Kandiszucker, und im Winter gegen die Kälte *Grog*, ein Getränk aus Rum, heißem Wasser und Zucker. Typisch für den Norden sind auch die vielen Fisch- und Kartoffelgerichte.

Die Berliner haben eine Vorliebe für Saures – saure Gurken und Sauerkraut – und *Buletten* (gebratene *Klopse* aus Hackfleisch, Brötchen, Eiern und Zwiebeln), die warm und kalt gegessen werden.

Es stimmt nicht mehr, dass die Deutschen vor allem viel Fleisch und Kartoffeln essen, aber sie essen viel Brot. Ausländer staunen über das riesige Angebot an Brotsorten und Brötchen.

Knödel, Kuchen und mehr

Der Süden ist traditionell das Land der Mehlspeisen: *Spätzle* (kleine Nudeln aus Mehl, Eiern, Wasser und Salz) oder *Maultaschen* (eine Art Ravioli) isst man in Schwaben. *Palatschinken* (dünne Pfannkuchen mit süßer Füllung) sind eine Spezialität in Österreich. Die Österreicher haben auch eine besondere Vorliebe für Knödel – *Semmelknödel* oder *Obstknödel* – und Torten mit aristokratischen Namen – *Esterhazy* und *Sacher* heißen die berühmtesten.

Das Wienerschnitzel aus Österreich findet man auf Speisekarten in aller Welt. Die Küche in dem früheren Vielvölker-Staat ist eine multikulturelle Mischung.

Wer nach München kommt, muss Weißwurst mit süßem Senf probieren und natürlich das bayrische Bier.

Im Südwesten Deutschlands ist die Küche etwas feiner. Besonders in Baden und im Saarland kann man den französischen Einfluss schmecken. Das gilt auch für die Schweiz, vor allem für den Westteil. Das *Zürcher Geschnetzelte mit Rösti* (in Streifen geschnittenes Kalbfleisch mit gebratenem Kartoffelkuchen) ist ein internationales Gericht geworden.

Für ein Fondue nimmt man den Lieblingskäse der Schweizer, den Greyerzer. Auch andere Käsesorten aus der Schweiz (mit Löchern oder ohne) sind für ihre Qualität bekannt.

3 Gibt es in Ihrem Land auch kulinarische Unterschiede zwischen Norden und Süden?

Bier ...

Jeder Deutsche konsumiert statistisch gesehen pro Jahr 160 Liter Bier. Das ist weltweit „Spitze". Im Rheinland trinkt man gerne das leichte, helle *Kölsch* aus schmalen Gläsern. Die dunklen Biersorten nach dem Münchner Typ sind stärker und schmecken süßlich. Aus Bayern kommt auch das „Reinheitsgebot". Nach diesem Gesetz darf Bier nur aus Hopfen, Malz und Wasser bestehen.

und Wein

Der deutsche Wein kommt hauptsächlich aus dem Südwesten; am Rhein und seinen Nebenflüssen wächst er am besten. Wer in Österreich eine „Weinreise" machen will, fährt nach Wien und in den Osten des Landes. Dass man auch in der Schweiz Wein produziert, ist im Ausland wenig bekannt. Vielleicht, weil die Schweizer ihre Weine am liebsten selbst trinken?!

4 Kann man in Ihrem Land Bier und Wein aus deutschsprachigen Ländern bekommen?

Ein Essens-Fahrplan

Frühstück: Für ihr Frühstück nehmen sich die Deutschen Zeit, immerhin 26 Minuten täglich verbringen sie durchschnittlich am Frühstückstisch. Das Standard-Frühstück besteht aus Kaffee (seltener Tee), frischen Brötchen mit Wurst, Käse und Marmelade und einem weich gekochten Ei.

Mittagessen: Wenn die Eltern berufstätig sind, gibt es das Mittagessen mit der ganzen Familie meist nur am Wochenende. Am Sonntag wird gern „gutbürgerlich" gegessen mit viel Fleisch und Soße, dazu Kartoffeln, Gemüse oder gemischter Salat. Zum Nachtisch isst man Pudding oder Eis.

Abendessen: Früher blieb am Abend die Küche kalt, d.h. es gab belegte Brote, Bratenreste und vielleicht einen Salat, das sogenannte Abendbrot. Heute versammelt sich die Familie zum Teil erst am Abend bei Tisch und es wird warm gegessen.

Am Sonntag, an Festtagen und wenn Besuch kommt, gibt es in vielen Familien noch die Kaffeetafel am Nachmittag mit Kuchen und Torten.

Wurst ohne Ende

Wenn Deutsche und Österreicher schnell zwischendurch etwas essen wollen, beißen sie am liebsten in die Wurst. Auch die Invasion der amerikanischen *Hamburger* hat daran nichts geändert. *Curry-Wurst* z. B. ist eine gebratene Wurst mit einer Spezialsoße (scharf? extra-scharf?). Dazu gibt es *Pommes* rot (mit Ketchup) oder weiß (mit Mayonnaise). Hauptsache man kann aus der Hand und im Stehen essen.

5 Was essen und trinken Sie gern, und wann?

6 Gibt es in Ihrem Land auch so eine Imbiss-Kultur?

Moderne Geschichte

Vom Reich zur Republik

1. Gab es in Ihrem Land im 19. Jahrhundert (oder schon früher) Bürgerkriege und Revolutionen?

Der Ruf nach Freiheit

Bis ins 19. Jahrhundert war Deutschland ein buntes Mosaik aus größeren und kleinen Territorialstaaten. 1815 wurde der Deutsche Bund gegründet. In der Zeit danach bis zur Revolution 1848 wurde die Opposition gegen die alte, autoritäre Ordnung immer stärker. Demokraten und Liberale forderten eine nationale Verfassung und politische und persönliche Grundrechte für das Volk.

Die Bürgerkriege in Deutschland und Österreich im März 1848 waren sehr kurz, aber sehr blutig. Im Mai kam die neu gewählte deutsche Nationalversammlung in Frankfurt zusammen. Sie sollte eine Verfassung für ganz Deutschland ausarbeiten und eine zentrale Regierung bilden. Aber die Monarchien von Preußen und Österreich nutzten ihre militärische Macht. Bis zum Sommer 1849 hatten sie die revolutionären Bewegungen wieder zerschlagen. Die Rebellen wurden gnadenlos verfolgt und bestraft. Die Folge waren Massenauswanderungen – vor allem in die USA.

Im Deutschen Bund lebten nicht nur Deutsche, sondern auch Ungarn, Tschechen, Serben, Italiener und andere Nationalitäten.

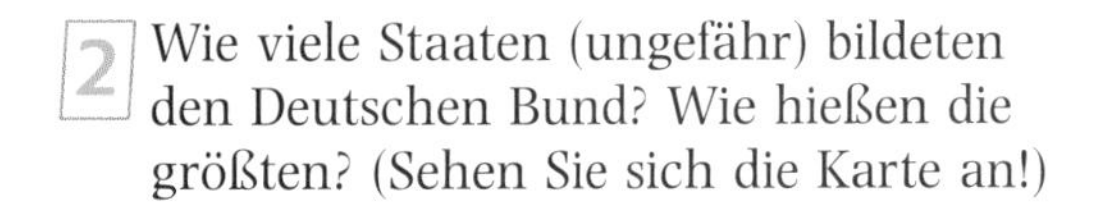

2. Wie viele Staaten (ungefähr) bildeten den Deutschen Bund? Wie hießen die größten? (Sehen Sie sich die Karte an!)

3. Warum sind nach 1848 so viele Menschen emigriert?

In der Schweiz verlief die Rebellion von 1848 eher geordnet und ruhig. Aber sie war erfolgreich. Der moderne Schweizer Bundesstaat ist ein Ergebnis dieser „moderaten" Revolution!

Die industrielle Revolution

In den Jahren zwischen der Märzrevolution (1848) und der nationalen Einigung (1871) begann das moderne Industriezeitalter. Im Kernland Preußen entstanden industrielle Zentren wie das Ruhrgebiet und Berlin und neue Industriezweige wie die Chemo- und Elektroindustrie (*BASF, Siemens*). Die Fabrikarbeiter in den Städten lebten in Armut und Elend. Aber große Teile des Bürgertums profitierten von der Entwicklung.

Immer mehr Menschen kamen vom Land in die Städte. 18-Stunden-Tag, Hungerlöhne und Kinderarbeit waren „normale" Realität für sie.

4. Was wissen Sie über die Lebens- und Arbeitssituation der Fabrikarbeiter zu Beginn der Industrialisierung?

Ein Mann der Macht

Fürst Otto von Bismarck begann seine politische Karriere als Abgeordneter und Botschafter. 1862 wurde er preußischer Ministerpräsident. Er führte ein autoritäres, antiparlamentarisches Regiment und sicherte Preußens Vormacht. Nach militärischen Siegen über Frankreich und Österreich war der Weg für die nationale Einigung Deutschlands frei. 1871 wurde in Versailles das Deutsche Reich gegründet. Wilhelm I. wurde Kaiser und Bismarck Reichskanzler.

1890 wurde er entlassen. Der junge Kaiser Wilhelm II. wollte seinen eigenen politischen Kurs verfolgen. Bismarck starb 1898 im Alter von 83 Jahren.

Bismarck bekämpfte die Arbeiterbewegung, aber begründete auch das staatliche Sozialsystem. Er hasste die Revolution, machte aber selbst eine.

5 Welches große politische Ziel hat Bismarck erreicht?

Der Erste Weltkrieg

Kaiser Wilhelm II. wollte aus Deutschland ein Weltreich machen. Er mischte sich in die Kolonialpolitik ein und baute seine Flotte aus. England, Frankreich und Russland schlossen sich gegen diese Bedrohung zusammen. Im Juni 1914 wurde der österreichische Thronfolger Franz Ferdinand in Sarajewo ermordet. Kurze Zeit später brach der Erste Weltkrieg aus.

Die Hoffnungen der Deutschen auf einen schnellen militärischen Sieg waren bald zerstört. 1917 traten die USA in den Krieg ein. Aber erst im Herbst 1918 erklärten auch die deutschen Militärs den Krieg für verloren. Niemand rief mehr „Hurra". Im Gegenteil. Soldaten und Arbeiter streikten und demonstrierten überall im Land. In vielen Städten übernahmen sie vorübergehend die Macht. Der Kaiser flüchtete ins Exil nach Holland.

Eine junge Frau marschiert voller Begeisterung mit deutschen Soldaten.

6 Welche Gedanken und Gefühle haben Sie, wenn Sie das Foto oben betrachten?

Rosa Luxemburg

Rosa Luxemburg war Theoretikerin und Kämpferin, zuerst Sozialdemokratin, dann Kommunistin. Zusammen mit Karl Liebknecht gründete sie den *Spartakusbund* und beteiligte sich an der Revolution nach Kriegsende. 1919 wurden Luxemburg und Liebknecht von Freikorps-Soldaten umgebracht.

Die Weimarer Republik

1 Was wissen Sie über die Zeit zwischen den beiden Weltkriegen? Nennen Sie wichtige Namen, Daten und Ereignisse!

Am 9. November 1918, noch während der Novemberrevolution, rief der Sozialdemokrat Philipp Scheidemann vom Reichstag die Deutsche Republik aus.

Schon 1919 sah der Schriftsteller Kurt Tucholsky das Ende der Republik voraus. Er schrieb:

„Dieses deutsche Bürgertum ist ganz und gar antidemokratisch, dergleichen gibt es wohl kaum in einem andern Lande, und das ist der Kernpunkt allen Elends."

Inflation und Krise

„Alle Macht geht vom Volke aus." Das war ein Grundprinzip der demokratischen Verfassung, die die Nationalversammlung 1919 in Weimar ausarbeitete. Aber die junge Republik hatte es schwer. Politische Morde und Putschversuche rechtsextremer Gruppen bestimmten das Tagesgeschehen.

Auch der Frieden hatte einen hohen Preis. Nach dem Vertrag von Versailles musste Deutschland enorme Geldsummen als Wiedergutmachung an die Siegermächte zahlen. Inflation war die Folge; sie erreichte 1923 ihren Höhepunkt.

Ein Kinder-Abzählreim aus der Zeit geht so:

Eins, zwei, drei, vier, fünf Millionen,
Meine Mutter, die kauft Bohnen.
Zehn Milliarden kost' das Pfund,
Und ohne Speck
Du bist weg!

2 Erinnern Sie sich an einen Kinderreim in Ihrer Sprache? Übersetzen Sie ihn ins Deutsche!

Der Anfang vom Ende

Nur für wenige Jahre war die politische und wirtschaftliche Situation in der Weimarer Republik relativ stabil. Die Menschen hofften auf einen Neuanfang und eine bessere Zukunft. Aber die innen- und außenpolitischen Probleme waren nicht wirklich gelöst. Mit der Weltwirtschaftskrise 1929 wurde ein Drittel der arbeitenden Bevölkerung arbeitslos. Viele Menschen gerieten in Armut und Elend. Die Regierungen wechselten immer schneller, das Parlament wurde immer schwächer. Der Zusammenbruch der Weimarer Republik war nur noch eine Frage der Zeit.

3 Was passierte in Ihrem Land zu dieser Zeit?

Auch in Österreich ging im November 1919 der Kaiser, und die Erste Republik kam. Die Zeit zwischen den Kriegen war genauso wie in Deutschland eine Krisenzeit. Im Friedensvertrag von Saint-Germain wurde der Anschluss Österreichs an Deutschland verboten. Trotzdem wünschten sich viele Politiker und Bürger insgeheim weiter einen deutsch-österreichischen Staat.

Berlin wurde d i e Metropole der 20er-Jahre, Magnet für Künstler und Intellektuelle. Aber hinter den glanzvollen Kulissen, in den Hinterhöfen der Mietskasernen, herrschten Hunger und Kälte.

4 Beschreiben Sie das Bild! Was wird hier gezeigt?

Die 20er-Jahre

Die Jahre der Weimarer Republik brachten eine bisher unbekannte Freiheit für Kunst und Wissenschaft. Schriftsteller, Maler und Architekten experimentierten mit neuen Formen. Das Theater und die neuen Medien Kino und Rundfunk begeisterten ein Massenpublikum. Leichte Unterhaltung – Operetten, Schlagermusik und Tanzrevuen – waren „in".

Überhaupt war das Lebensgefühl in den 20er-Jahren freier. Man war ungezwungener und selbstbewusster. Das zeigte sich im Alltag, in der Mode und in der Sexualität.

Auch die Rolle der Frauen veränderte sich. 11 Millionen Frauen waren in Deutschland zu dieser Zeit berufstätig, viele arbeiteten als Büroangestellte. Auch wenn sie weniger verdienten als die Männer, bedeutete das mehr Unabhängigkeit und Selbstbewusstsein.

Die „neue" Frau trug kurze Haare, rauchte in der Öffentlichkeit und war leger gekleidet.

Der Weg in die Diktatur

Die Folgen der Weltwirtschaftskrise führten dazu, dass die rechtsextreme Nationalsozialistische Deutsche Arbeiterpartei (NSDAP) immer mehr Anhänger fand. Ihr erklärtes Ziel war es, die Weimarer Republik zu beseitigen. Adolf Hitler, der Führer der Nationalsozialisten, versprach den Menschen Arbeit, und viele Deutsche sympathisierten mit seinen rassistischen und nationalistischen Ideen.

Ab 1930 hatte das Parlament praktisch keine Funktion mehr: die Republik wurde zunehmend vom Präsidenten Hindenburg regiert. Bei den Wahlen im September 1930 zeigte sich, dass die NSDAP jetzt die zweitstärkste Partei im Reichstag war.

Nur eine gemeinsame Opposition der Arbeiterparteien mit der demokratischen Mitte konnte Hitler noch stoppen. Aber diese Parteien fanden keine gemeinsame Basis und die Konservativen hielten still. Gut zwei Jahre später herrschte in Deutschland eine faschistische Diktatur.

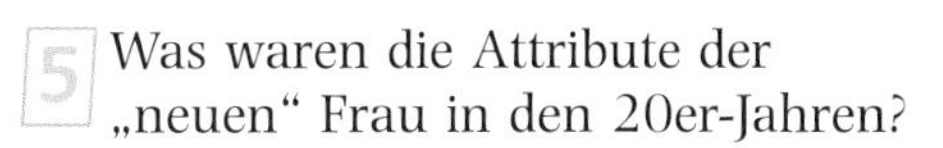

5 Was waren die Attribute der „neuen" Frau in den 20er-Jahren?

6 Warum gaben so viele Deutsche den Nationalsozialisten ihre Stimme?

Das Dritte Reich

1 Wenn Ausländer nach berühmten Deutschen gefragt werden, fällt ihnen oft zuerst Adolf Hitler ein. Ihnen auch? Warum?

Der NS-Staat

1933 hatte Adolf Hitler sein Ziel erreicht: Er war der neue Reichskanzler. Seit Anfang 1933 gab es schon die ersten Konzentrationslager für politische Gefangene. Nach dem Tod Hindenburgs wurde Hitler auch Reichspräsident. Er nannte sich nun „Führer des Deutschen Reiches und Volkes". Zu diesem Zeitpunkt waren alle politischen, wirtschaftlichen und kulturellen Institutionen im Reich „gleichgeschaltet".

Die gesamte Bevölkerung wurde von der Nazi-Ideologie erfasst. Terror-Organisationen wie die SA (Sturmabteilung), die SS (Schutzstaffel, ursprünglich Hitlers Leibwache) und die Gestapo (Geheime Staatspolizei) kontrollierten sogar die private Sphäre der Menschen.

Alle Staatsbürger im Dritten Reich sollten „deutsch denken, deutsch fühlen und deutsch handeln".

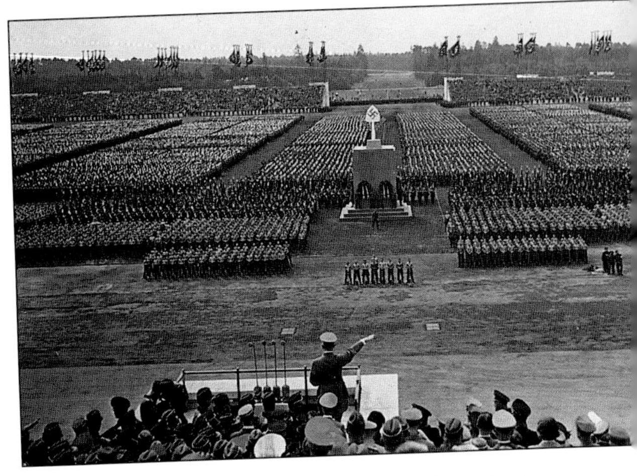

Massenveranstaltungen wie der Reichsparteitag 1936 in Nürnberg „blendeten" die Menschen. Nur wenige sahen, dass hier der nächste Krieg vorbereitet wurde.

2 Was bedeutet der Begriff „gleichgeschaltet"?

Terror und Vernichtung

Der Antisemitismus war das zentrale Element im ideologischen Programm der Nationalsozialisten. Schon 1933 wurden jüdische Geschäfte boykottiert und jüdische Beamte entlassen. Ehen zwischen Juden und „Ariern" waren ab 1935 verboten. Mit der „Kristallnacht" im November 1938 begann die gewaltsame Verfolgung und Vernichtung. Ab 1941 mussten Juden den sogenannten Judenstern an der Brust tragen und 1942 beschloss die Wannsee-Konferenz in Berlin die „Endlösung" der Judenfrage: Alle Juden in Europa sollten entweder durch Zwangsarbeit, Hunger oder durch Mord vernichtet werden.

Bis Kriegsende wurden fünf bis sechs Millionen Juden in Konzentrationslagern oder bei Massenerschießungen getötet. Auch Sinti und Roma (Zigeuner), Homosexuelle, Behinderte, Kriminelle und natürlich politische Gegner zählten zu den Opfern des NS-Regimes.

3 Welche Menschen gehörten zu den Opfern des NS-Regimes?

4 Welche Konzentrationslager kennen Sie mit Namen?

5 Was wissen Sie über das weitere Schicksal von Anne und ihrer Familie?

Anne Frank

Viele Menschen auf der Welt kennen dieses Mädchengesicht. Anne Frank war Jüdin. Sie und ihre Familie versteckten sich über zwei Jahre in einem kleinen Raum in Amsterdam. Ihr berühmtes Tagebuch wurde ein wichtiges Dokument der Nazizeit und ein Symbol für den Wunsch nach Freiheit und Gerechtigkeit.

Der Zweite Weltkrieg

Die Vorbereitungen für einen Expansionskrieg begannen schon 1933. 1938 marschierten deutsche Soldaten in Österreich ein. Aber erst der Überfall auf Polen im September 1939 führte zum Ausbruch des Zweiten Weltkriegs. Zunächst war Hitler mit seiner Blitzkrieg-Taktik erfolgreich. Deutsche Truppen besetzten in schneller Folge Belgien, Holland, Frankreich, Dänemark, Norwegen und Jugoslawien.

Nach der Niederlage der deutschen Armee bei Stalingrad dauerte es noch über zwei Jahre bis zur Kapitulation.

Mit der Invasion der Alliierten in Frankreich im Juni 1944 begann die letzte Phase des Kriegs. Im Mai 1945 wurde Berlin von der sowjetischen Armee erobert. Kurz zuvor hatte Hitler dort in seinem Bunker Selbstmord begangen.

Der Zweite Weltkrieg war zu Ende und die Bilanz erschreckend: fast 60 Millionen Tote und ganze Länder und Städte zerstört und verwüstet.

Die Weiße Rose

Die Mitglieder der Weißen Rose riefen in ihren Flugblättern zum passiven Widerstand auf. Sie wollten den blutigen Krieg beenden. Initiator der Gruppe war der Medizinstudent Hans Scholl. Auch seine Schwester Sophie gehörte dazu. Die Weiße Rose war seit 1942 vor allem in Universitätskreisen aktiv. Fast alle Mitglieder wurden gefasst und 1943 ermordet.

Hohe Militärs – unter ihnen z. B. Graf Stauffenberg – versuchten am 20. Juli 1944 ein Attentat auf Hitler. Sie wollten den praktisch schon verlorenen Krieg beenden und der Weltöffentlichkeit ein Signal geben.

Hitler spricht in Wien zu den Massen. Viele Österreicher sympathisierten mit den Nationalsozialisten. Sie erlebten den Anschluss ihres Landes 1938 als Befreiung, nicht als Niederlage.

6 Wann und wie ist Hitler ums Leben gekommen?

7 War Ihr Land in den Zweiten Weltkrieg verwickelt?

8 Ist das Bild der Deutschen in Ihrem Land sehr von der Zeit des Dritten Reichs bestimmt?

Die Schweiz war – wie schon im Ersten Weltkrieg – seit 1938 ein neutrales Land. Viele Flüchtlinge aus Deutschland fanden hier Schutz vor der Verfolgung. Aber die Schweiz hat auch am Unglück der anderen verdient. Schweizer Banken haben mit jüdischem Geld und Gold lukrative Geschäfte gemacht.

Eine junge Republik

1 Wo lagen die Zonen der vier Besatzungsmächte in Deutschland und Österreich? Welche Bundesländer sind heute dort? Vergleichen Sie diese Karte mit der Karte auf Seite 7!

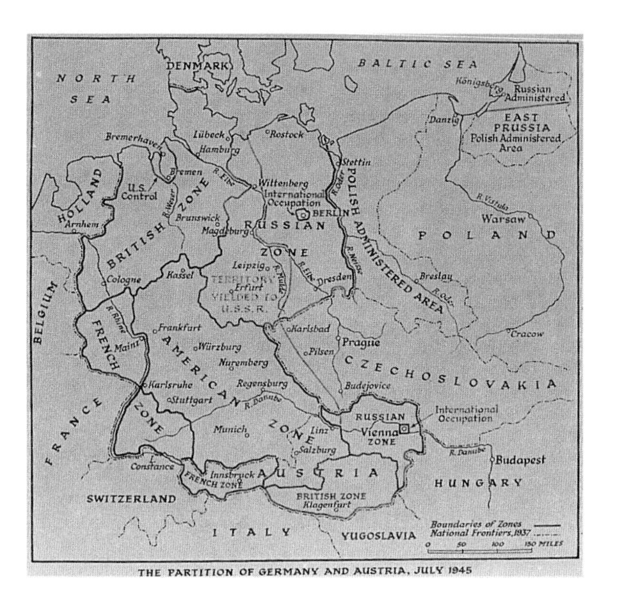

THE PARTITION OF GERMANY AND AUSTRIA, JULY 1945

Besatzung und Neubeginn

Nach der Kapitulation des Dritten Reichs übernahmen die vier Siegermächte die Regierung. Große Teile der Ostgebiete gingen an Polen und die Sowjetunion. Das restliche Land wurde in vier Besatzungszonen und die Stadt Berlin in vier Sektoren aufgeteilt.

Im Mai 1949 wurde aus den drei Westzonen die Bundesrepublik Deutschland gegründet und kurze Zeit später auf dem Gebiet der sowjetischen Zone die Deutsche Demokratische Republik.

Auch Österreich war nach Kriegsende besetztes Land. Der Osten wurde von der sowjetischen Armee, der Westen von den Alliierten kontrolliert. Die Hauptstadt Wien war wie Berlin eine Vier-Sektoren-Stadt. 1955 wurde Österreich wieder ein unabhängiger Staat.

DM für Westdeutsche

In den ersten Jahren nach dem Krieg schienen die Menschen in Deutschland gleichgestellt. Alle hungerten, alle froren. Erst durch die Währungsreform verbesserte sich die wirtschaftliche Situation allmählich. Am 20. Juni 1948 war es so weit: Alle Bewohner der Westzonen konnten sich 40 Deutsche Mark (die neue Währung) abholen. Das war ihr Startkapital, das sogenannte Kopfgeld.

Der Schriftsteller Max von der Grün erinnert sich:

„Am Tage der Währungsreform hielt mir der Bauunternehmer, bei dem ich zum Maurer umgeschult wurde, zwei Zwanzig-Mark-Scheine vor die Nase und sagte: Siehst du, jetzt habe ich genau so viel Geld wie du, jetzt kommt es nur darauf an, was man aus seinem Geld macht. (...)

Der Bauunternehmer hatte ein Jahr später 2 Lastwagen und 3 neue Betonmischer und ein neues Auto und einen Polier und 128 Arbeiter. Ich konnte mir damals endlich ein neues Fahrrad kaufen, ich war anscheinend nicht tüchtig, ich habe nur 10 Stunden am Tag gearbeitet."

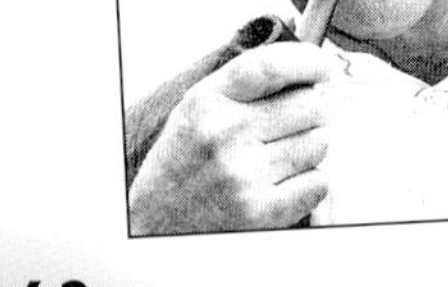

Max von der Grün, Schriftsteller

Drei Tage nach der Währungsreform begannen die Sowjets mit der Berlin-Blockade. Die Westsektoren Berlins waren abgeschnitten und mussten auf dem Luftweg (Luftbrücke) mit Lebensmitteln, Heizmaterial und allem Notwendigen versorgt werden.

2 Warum hatte der Bauunternehmer wohl bessere Startchancen als seine Arbeiter?

Das „Wirtschaftswunder"

Das „Wirtschaftswunder" war kein Wunder, sondern Ergebnis harter Arbeit. Die Menschen wollten wieder in geordneten, bequemen Verhältnissen leben und lieber an ihre private Zukunft als an den Krieg und die Verbrechen Deutschlands denken.

In den ersten Jahren nach dem Krieg gab es nicht genug zu essen, viele Familien überlebten nur mit Hilfe der Care-Pakete aus den USA. Es gab kaum Wohnungen. Ein Großteil der Menschen, besonders die vielen Flüchtlinge aus dem Osten, musste in Baracken und Hütten leben.

Aber es ging aufwärts. Ein wichtiger Motor für die wirtschaftliche Entwicklung waren die Bau- und die Automobilindustrie.

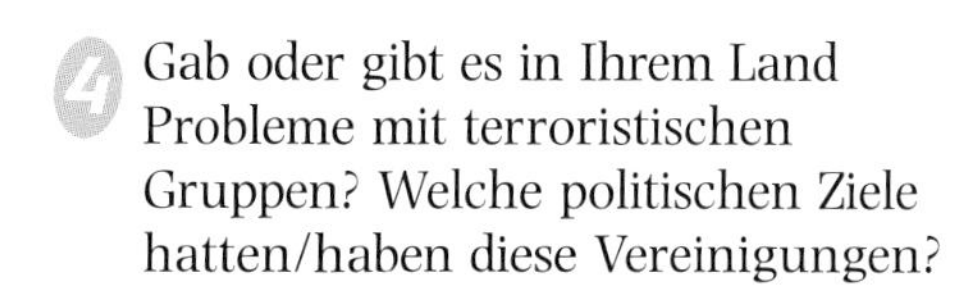

Ein Käfer für jedermann

Der Volkswagen-Käfer ist mehr als ein Auto. Er ist auch ein Symbol und ein Stück Zeitgeschichte. Ferdinand Porsche erfand den preiswerten Kleinwagen 1934. Adolf Hitler ließ für ihn eine ganze Stadt bauen: die „KdF(Kraft durch Freude)-Stadt", heute Wolfsburg. Nach dem Krieg wurde der Käfer Symbol für das „Wirtschaftswunder".

3 „Wohlstand für alle" war das Motto der Zeit. Was bedeutet für Sie Wohlstand?

Die Jugend protestiert

Zwei Jahrzehnte nach dem Zweiten Weltkrieg war aus der BRD eine „satte" Wohlstandsgesellschaft geworden. Aber immer mehr junge Leute distanzierten sich von dem Konsumdenken und den traditionellen Lebensformen.

Von 1967 bis 1969 protestierten überall in Deutschland die Studenten: gegen die autoritären Strukturen an den Universitäten, gegen die amerikanische Vietnampolitik, gegen die „Monopolkapitalisten".

Die Revolte der „68er" veränderte die bundesdeutsche Gesellschaft. Nach 20 Jahren CDU/CSU-Regierung wurde 1969 der SPD-Vorsitzende Willy Brandt Bundeskanzler. Bildungsreform, Ostpolitik, Mitbestimmung: in allen Bereichen wurden neue Akzente gesetzt.

Auch die Bürgerinitiativen, die in den folgenden Jahren gegen Atomkraftwerke und Großflughäfen aktiv wurden, orientierten sich an den Aktionsformen der 68er.

Die Mitglieder der linksradikalen RAF (Rote Armee Fraktion) wollten ihre politischen Ziele mit Mord und Bomben erreichen. Der Terrorismus war besonders während der 70er-Jahre ein ernstes Problem für die Bundesrepublik.

4 Gab oder gibt es in Ihrem Land Probleme mit terroristischen Gruppen? Welche politischen Ziele hatten/haben diese Vereinigungen?

5 Finden Sie im Text die passenden Präpositionen zu folgenden Verben und bilden Sie Beispielsätze: sich distanzieren ..., protestieren ..., sich orientieren ...!

Das war die DDR

1 Was wissen Sie über die DDR, das politische System und das Leben der Menschen dort? Hatte Ihr Land offizielle Beziehungen zur DDR?

Neben dem Parteiapparat wurde die Staatssicherheit – der Geheimdienst – zum wichtigen Machtfaktor in der DDR. Mitarbeiter der Stasi überwachten alles und jeden! Ihre Berichte finden sich in über sechs Millionen Akten!

Arbeiter- und Bauernstaat

Schon bald nach Kriegsende war klar, dass die Sowjetunion eigene wirtschaftliche und politische Vorstellungen für ihre Zone hatte. Die Alliierten konnten keine gemeinsame Lösung für das Deutschland-Problem finden.

Die Folge war, dass 1949 kurz nacheinander zwei deutsche Staaten gegründet wurden. Die Deutsche Demokratische Republik (DDR) war ein sozialistischer Staat nach sowjetischem Vorbild. Die Landwirtschaft wurde kollektiv organisiert, die Industriebetriebe waren verstaatlicht und die gesamte Wirtschaft wurde zentral geplant. Der Lebensstandard der DDR-Bürger war der höchste in den sogenannten Ostblock-Staaten. Führende Partei war die SED (Sozialistische Einheitspartei Deutschlands). Ihre Vorsitzenden Walter Ulbricht (bis 1971) und Erich Honecker waren die ersten Männer im Staat.

2 Betrachten Sie die Karte auf Seite 42! Wo verlief die Grenze zwischen der Bundesrepublik Deutschland und der DDR?

17. Juni und Mauerbau

Wut und Unzufriedenheit über die wirtschaftliche und politische Situation trieben die Menschen am 17. Juni 1953 auf die Straße. Aber sowjetische Panzer und Soldaten beendeten die Unruhen innerhalb von zwei Tagen. Bis 1989 war der 17. Juni als *Tag der Deutschen Einheit* in der BRD Nationalfeiertag.

1953 (und auch in den Jahren davor) waren viele Menschen aus der DDR in den Westen geflüchtet, die meisten über Westberlin. Anfang der 60er-Jahre gab es wieder eine Flüchtlingswelle. Seit 1949 hatten ca. 2,7 Millionen Menschen das Land verlassen, viele von ihnen waren junge qualifizierte Arbeiter und Akademiker.

Am 13. August 1961 begann die DDR mit dem Bau der Mauer. Die Teilung Deutschlands war damit „zementiert". Der Weg in den Westen war den DDR-Bürgern bis Ende 1989 versperrt.

3 Was waren die Gründe für den Mauerbau?

Beim Aufstand am 17. Juni 1953 wurden wahrscheinlich um die 100 Menschen getötet und viele Tausend kamen ins Gefängnis.

Deutsch-deutsche Beziehungen

20 Jahre lang gab es nur vereinzelte Kontakte zwischen den Regierungen der beiden deutschen Staaten. Erst 1970 begann der deutsch-deutsche Dialog mit einem Treffen zwischen dem Chef der sozial-liberalen Regierung, Brandt, und dem zweiten Mann in der DDR, Stoph.

Ende 1972 wurde der Grundlagenvertrag abgeschlossen. Bundesbürger und Westberliner konnten nun einfacher in die DDR reisen, Verwandte und Bekannte besuchen. Umgekehrt von Ost nach West zu reisen wurde seltener erlaubt.

Aber der „Kalte Krieg" war noch lange nicht vorbei und die Grenze zwischen den Machtblöcken lief weiter mitten durch Deutschland.

Für seine Ostpolitik und seine Bemühungen um Entspannung und Frieden in Europa erhielt der damalige sozialdemokratische Bundeskanzler Willy Brandt 1971 den Friedensnobelpreis.

4 Was war – unter anderem – Inhalt des Grundlagenvertrags?

Wende gut, alles gut?

Der sowjetische Präsident Gorbatschow hatte mit seiner Politik der Öffnung und Entspannung ein Signal gesetzt. Auch die Menschen in der DDR zeigten immer deutlicher ihre Unzufriedenheit mit ihrer dogmatischen Regierung. Im Herbst 1989 eskalierten die Ereignisse: Ungarn öffnete seine Grenzen nach Österreich. Überall in der DDR gab es Demonstrationen für Freiheit und Reformen, bis am 9. November 1989 die Mauer geöffnet wurde.

Damit begann das letzte Kapitel der getrennten deutschen Geschichte. Die Entwicklung zeigte bald, dass die Wiedervereinigung nur eine Frage der Zeit war. Die Mehrheit der Bürger wollte in einem vereinten demokratischen Deutschland leben. Am 3. Oktober 1990 waren die DDR und die BRD wieder eine Nation, mit Berlin als Hauptstadt und mit einem neuen Nationalfeiertag.

5 Haben Sie die Nachrichten über die historischen Ereignisse im Herbst 1989 verfolgt? Welche Bilder sind Ihnen noch in Erinnerung?

„Ich finde es nicht gut, dass sie heute die DDR so schlecht machen. Das kapitalistische System ist ja auch nicht so golden. Arbeitslose gab's in der DDR jedenfalls nicht und die Wohnungen waren auch viel billiger. Mir und meiner Familie geht's ganz gut, aber nicht alle haben von der Wende profitiert."

Politik und Parteien

1 Können Sie die Namen einiger aktueller Politiker aus den deutschsprachigen Ländern nennen?

Parlament und Regierung

Die Verfassung der Bundesrepublik Deutschland ist das Grundgesetz. Hier sind nicht nur die Bürgerrechte festgelegt, sondern auch die Grundlagen der staatlichen Ordnung: Die BRD ist Republik und Demokratie, Bundesstaat, Rechtsstaat und Sozialstaat.
Die wichtigsten politischen Organe sind das Parlament und die Bundesregierung.

Das Parlament besteht aus zwei Kammern, dem Bundestag und dem Bundesrat. Im Bundestag sitzen die vom Volk gewählten Abgeordneten. Der Bundestag beschließt die Gesetze und wählt den Bundeskanzler. Im Bundesrat sind die 16 Bundesländer vertreten.

Die Bundesregierung, das Kabinett, besteht aus dem Bundeskanzler und den Ministern. Der oberste Repräsentant der BRD ist der Bundespräsident. Er steht über den Parteien und hat keinen direkten politischen Einfluss.

Der von Norman Foster renovierte Sitzungssaal des Parlaments im Berliner Reichstag.

Das Wahlsystem

Bei den Wahlen zum Deutschen Bundestag und den Länderparlamenten hat jeder Wähler zwei Stimmen. Mit der ersten Stimme wählt er direkt den Kandidaten seines Wahlkreises, mit der zweiten Stimme eine Partei. Die abgegebenen Stimmen werden dann nach einem komplizierten System verrechnet und die Sitze im Bundestag entsprechend verteilt.

In der BRD gibt es die sogenannte Fünf-Prozent-Klausel. Die Parteien müssen mindestens fünf Prozent der Wählerstimmen gewinnen, sonst kommen sie nicht ins Parlament. Deshalb sind im Deutschen Bundestag nur drei bis fünf Parteien vertreten.

2 Welchen Zweck hat Ihrer Meinung nach die Fünf-Prozent-Klausel?

Die Schweiz ist anders!

Auch das politische System der Schweiz unterscheidet sich von dem anderer westeuropäischer Staaten. Der Schweizer Staat ist eine Konföderation mit verschiedenen Sprachen und Kulturen. Wichtiger als der Bund sind die Gemeinden – sie waren zuerst da – und die Kantone.
Die Minister heißen Bundesräte und einer von ihnen ist jeweils für ein Jahr gleichzeitig Bundespräsident.

Es gibt vier große Parteien. Eine bedeutende politische Opposition gibt es nicht. Das Zauberwort für das Schweizer Regierungsmodell heißt Kompromiss.

Das Wahlrecht der Bundesrepublik Deutschland

Die Wahlberechtigten wählen in allgemeiner, unmittelbarer, freier, gleicher und geheimer Wahl

Länder und Gemeinden

Die BRD hat eine föderalistische Struktur. Jedes Bundesland hat eine eigene Verfassung, eigene Gerichte, eine eigene Regierung und ein Parlament, den Landtag. Die Bundesländer können viele regionale Aufgaben z. B. im Bildungs- und Umweltbereich und in der Kulturpolitik selbstständig regeln.

Städte, Dörfer und Landkreise sind ebenfalls demokratisch organisiert und verwalten sich selbst. Die Bürger kennen ihre Gemeindevertreter und den Bürgermeister oft persönlich und können bei vielen Projekten mitbestimmen. Auch Österreich ist ein föderalistischer Staat mit neun Bundesländern. Fast die Hälfte der Bevölkerung lebt in Gemeinden mit weniger als 10000 Einwohnern.

Worum kümmert sich in Ihrem Staat die zentrale Regierung? Welche Aufgaben übernehmen die Länder/Regionen?

Links? Rechts? Mitte?

Christlich-Demokratische Union (in Bayern als „Schwesterpartei" Christlich-Soziale Union), Partei der rechten Mitte, 1945 gegründet

Sozialdemokratische Partei Deutschlands, 1869 als Arbeiterpartei gegründet, heute Partei der linken Mitte

Freie Demokratische Partei, Partei in der Tradition des deutschen Liberalismus, 1948 gegründet

Die Grünen als Bundespartei 1980 gegründet; „alternative", ökologische Partei, 1990 aus den Bürgerrechtsgruppen der ehemaligen DDR gebildet; beide Parteien schlossen sich 1993 zusammen

Partei des Demokratischen Sozialismus, Nachfolgepartei der SED, die in der DDR die Macht hatte

Bitte wählen!

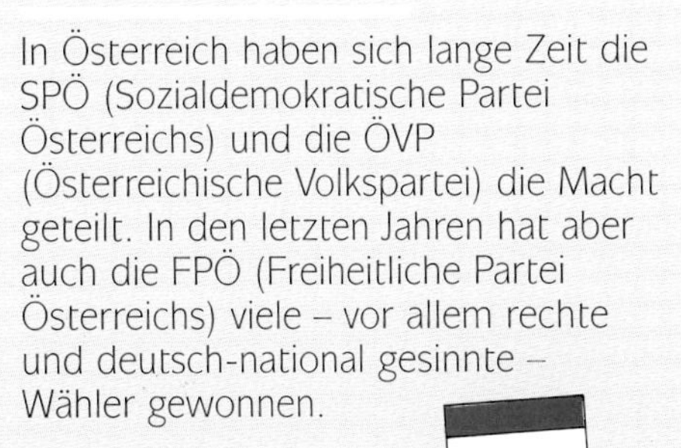

In Österreich haben sich lange Zeit die SPÖ (Sozialdemokratische Partei Österreichs) und die ÖVP (Österreichische Volkspartei) die Macht geteilt. In den letzten Jahren hat aber auch die FPÖ (Freiheitliche Partei Österreichs) viele – vor allem rechte und deutsch-national gesinnte – Wähler gewonnen.

Vier große Parteien bestimmen in der Schweiz das politische Leben:
- CVP (Christlich-demokratische Volkspartei)
- SPS (Sozialdemokratische Partei der Schweiz)
- FDP (Freisinnig-Demokratische Partei)
- SVP (Schweizerische Volkspartei)

Wie sieht die „Parteien-Landschaft" in Ihrem Land aus? Wird die Regierung von einer oder mehreren Parteien gebildet?

Vom Mittelalter zur Romantik

1 Kennen Sie einen berühmten Künstler der Renaissance?

Das Wahrzeichen von Köln

Bis zur Fertigstellung des Kölner Doms vergingen über 600 Jahre. Ab 1500 ungefähr „ruhte“ der im Mittelalter begonnene Bau. Erst im 19. Jh. ging es weiter und im Jahre 1880 wurde der Dom endlich eingeweiht.

Ein neues Sehen

Die betenden Hände oder das Porträt der alten Mutter: diese Motive des Malers Albrecht Dürer (1471–1528) hängen in vielen deutschen (und anderen) Wohnstuben an der Wand.

Dürer hat die neuen Seh- und Denkweisen der italienischen Renaissance nach Deutschland gebracht. Seine Studien zur Natur, Anatomie und perspektivischen Darstellung sind weltberühmt.

In Dürers Heimatstadt Nürnberg zeigen noch heute die Burganlage und der alte Stadtkern die damalige Bedeutung und den Reichtum der Stadt.

2 Nennen Sie die Wahrzeichen einiger Städte in Ihrem Land!

Dürers Hase befindet sich in der Albertina in Wien.

Die Perlen des Barock

Die Kenntnis der Welt war im 16. Jahrhundert durch Entdeckungsfahrten größer geworden. Neue Schätze und neues Wissen bereicherten Europa. Der Kunststil dieser Zeit war der Barock. „Mäzene“ für die prunkvollen Bauwerke waren die Kirche, Fürsten und Könige.

Eines der größten Kunstzentren in Deutschland wurde damals die Stadt Dresden, die „Perlen des Barock“. Unter August dem Starken erlebte die Stadt eine kulturelle Blüte, die man ihr noch heute ansieht. Viele der im Zweiten Weltkrieg zerstörten Bauten, z. B. der Dresdner Zwinger, die Hofkirche und auch die im 19. Jh. errichtete Semperoper sind wieder aufgebaut worden.

Die Würzburger Residenz ist eines der schönsten Barockschlösser im Süden Deutschlands. In Österreich zeugen Schlösser, Palais und Kirchen in Wien, Salzburg und die Stifte in Nieder- und Oberösterreich von einer Blütezeit. Die Barockklöster in Maria-Einsiedeln und St. Gallen in der Schweiz sind besonders schön.

Ein berühmtes Beispiel für die Wiener Barockarchitektur sind die Schlösser und Gärten des Belvedere.

Die Gärten der Könige

Den preußischen Herrschern gefiel das städtische Leben in der Hauptstadt Berlin nicht besonders. Sie wählten das nah gelegene Potsdam, um hier in Ruhe regieren zu können.

Der berühmteste unter ihnen war Friedrich der Große (1712–1786), kurz auch der Alte Fritz genannt. Er führte viele Kriege und ein strenges Regiment. Aber er war auch ein begabter Flötenspieler, Kunstsammler und philosophisch interessiert.

Mit dem Architekten Knobelsdorff zusammen plante der König seinen Wohnsitz, das Schloss *Sanssouci*. Auch in der Stadt Potsdam findet man viele Bauten aus der Zeit der Preußenkönige.

Der bekannte Landschaftsplaner Joseph Lenné (1789-1866) gab den Gärten und Parkanlagen um Sanssouci *ihre heutige Form.*

3 Die Gärten von Sanssouci wurden nach dem Vorbild des „Englischen Gartens" angelegt. Wissen Sie, was für diese Gärten typisch ist?

Die Stadt der Klassik

Einer der bekanntesten Deutschen ist sicherlich Johann Wolfgang von Goethe. 1749 wurde er in Frankfurt am Main geboren. Er studierte Jura, doch berühmt wurde er als Dichter.

1775 kam Goethe nach Weimar, wurde Geheimer Rat, eine Art Minister, und nahm am intensiven kulturellen Leben der kleinen Residenzstadt teil.

Durch Amtsgeschäfte und Reisen konnte Goethe sein Wissen über Menschen und Natur erweitern und neue Ideen für seine Dichtungen und Forschungen sammeln. Am wichtigsten war seine erste Italienreise, die fast zwei Jahre dauerte.

Goethe leitete auch das Weimarer Theater, wo viele Dramen seines Freundes Friedrich Schiller Premiere hatten. Für zehn Jahre standen die beiden großen Denker in engem Kontakt, arbeiteten zusammen und schufen in Weimar die Klassik der deutschen Literatur. Im Jahr 1805 starb Schiller. Goethe arbeitete und lebte noch bis 1832.

Die beiden großen deutschen Dichter Goethe und Schiller stehen Seite an Seite vor dem Nationaltheater in Weimar.

Wanderers Nachtlied

Über allen Gipfeln
Ist Ruh,
In allen Wipfeln
Spürest du
Kaum einen Hauch.
Die Vögelein schweigen im Walde.
Warte nur, balde
Ruhest du auch.

4 Dieses Gedicht von Goethe können sicher noch sehr viele Deutsche auswendig aufsagen. Versuchen Sie das Gedicht mit Ausdruck zu lesen! Welchen Eindruck machen die Verse auf Sie?

Beginn der Moderne

1 Die Französische Revolution fand 1789 statt. Warum ist dieses Ereignis so wichtig für die Geschichte?

Das Humboldt-Denkmal vor der Humboldt-Universität in Berlin

Der Philosoph (Georg Wilhelm) Friedrich Hegel gilt als Vollender der idealistischen Philosophie. Sein systematisches Denken wollte alle Erscheinungen der Natur, Kultur und Religion erklären.

Bildung als Lebenssinn

Das 19. Jahrhundert war eine Zeit wichtiger sozialer Veränderungen. Die Französische Revolution hatte das politische und kulturelle Selbstbewusstsein der Bürger gestärkt.

Am Anfang dieser Zeit standen Forscher-Persönlichkeiten wie Wilhelm von Humboldt (1767–1835). Er interessierte sich für die griechische Antike, fremde Sprachen und Geologie. Dank seiner Kontakte wurde die 1810 gegründete Universität in Berlin zu einem Zentrum des geistigen Lebens in Deutschland. Dort lehrten auch die Philosophen Fichte und Hegel.

Das Bürgertum profitierte vom technischen und wissenschaftlichen Fortschritt, aber die Arbeiter bekamen von den Verbesserungen wenig zu spüren. Ein späterer Philosoph, Karl Marx, übernahm die Systematik Hegels, um diese Situation zu analysieren.

2 Womit beschäftigen sich Philosophen eigentlich?

Wien und die Musik

Das heutige Konzert- und Operngeschehen wird weitgehend von der Musik des 18. und 19. Jahrhunderts beherrscht. Drei berühmte Meister der Musikgeschichte geben noch heute den Ton an: Mozart, Haydn und Beethoven. Diese Wiener Klassiker schufen die Grundlagen der bürgerlichen Musikkultur des 19. Jahrhunderts.

Mendelssohn-Bartholdy, Schubert, Schumann, Brahms, Bruckner und Wagner sind bekannte Komponisten der romantischen Musik. Auch ihre Nachfolger Mahler und Richard Strauß werden weltweit aufgeführt.

Zu Beginn des 20. Jahrhunderts entwickelte die zweite Wiener Schule mit den Komponisten Schönberg, Webern und Berg mit der Zwölftontechnik eine neue Kompositionsweise.

Typisch wienerisch waren (und sind) auch die populären Walzer der Musikerfamilie Strauß.

3 Wann sind die drei Komponisten Beethoven, Brahms und Berg geboren: 1770, 1833, 1885?

4 Hören Sie gern klassische Musik?

Farben des Expressionismus

Unter den Kunststilen des 20. Jahrhunderts ist der Expressionismus eine typisch deutsche Richtung. 1905 gründeten junge Maler (E. L. Kirchner, E. Heckel, Schmidt-Rottluff und Emil Nolde) in Dresden die Künstlergruppe *Die Brücke*. Ihre Motive waren Mensch, Tier und Natur. Derbe, vereinfachte Formen und kräftige, oft grelle Farben erzeugen einen starken, direkten Ausdruck. 1911 bildete sich in München eine andere Künstlergemeinschaft: *Der blaue Reiter*. Franz Marc, Wassily Kandinsky, Gabriele Münter, August Macke und A. Jawlensky gehörten zu dieser Gruppe.

5 Welche Rolle spielen die Farben in dem Bild von Nolde? Beschreiben Sie die Stimmung!

Neue Grundlagen der Physik

Jeder kennt Albert Einstein und seine Relativitätstheorie. Aber die meisten Leute wissen nur wenig über die Quantentheorie, die auf Max Planck zurückgeht. Sie beschäftigt sich mit Atomen und noch kleineren Teilchen.

Die neuen Erkenntnisse der Physik haben unsere Vorstellungen von Raum, Zeit und Kausalität verändert. An der Universität in Göttingen erforschten seit den 20er-Jahren Physiker und Mathematiker wie Max Born, Felix Klein und James Frank die Natur des Makro- und Mikrokosmos.

Kernphysik ist ein Thema für Experten. Aber die technische Nutzung in der Medizin als Energiequelle und tödliche Waffe betrifft uns alle.

6 Ethik und Wissenschaft geraten manchmal in Konflikt. Nennen Sie Beispiele!

Bauhaus – Stil und Schule

Bauhaus ist ein deutsches Wort, das international geworden ist. Besonders in der Architektur und im Industriedesign sind die ästhetischen Ideen des Bauhauses bis heute wirksam. Handwerkliche und künstlerische Gestaltung gehörten im Bauhaus zusammen. Grundlagen waren einfache geometrische Formen, reine Farben und die Eigenschaften der Materialien.

Die Bauhaus-Schule wurde 1919 in Weimar gegründet, musste aber nach sechs Jahren aus politischen Gründen hier schließen. Seine zweite Heimat fand das Bauhaus 1925 in Dessau. Doch auch von hier wurde das Institut 1932 vertrieben. Die Nazis bekämpften fanatisch alle künstlerischen und kulturellen Richtungen der Moderne.

Der bekannte Architekt Walter Gropius hat die Pläne für die Bauhaus-Gebäude in Dessau gemacht.

7 Was ist typisch für den Bauhaus-Stil?

8 Finden Sie im Text Synonyme für die folgenden Wörter: unvermischt, einflussreich, wegschicken, Zuhause, Design!

Bis heute

1 Welche Kunstformen waren typisch für die 20er-Jahre?

Das Romanische Café

In den 20er-Jahren war Berlin ein Magnet für Künstler und Intellektuelle aus ganz Deutschland. Ein besonders beliebter Treffpunkt war das *Romanische Café* gegenüber der Gedächtniskirche. Die Maler Otto Dix und Max Liebermann und bekannte Schriftsteller wie Alfred Döblin oder Bertolt Brecht waren regelmäßig im „Romanischen" zu Gast.

Die Kulturjournalisten fanden hier Kontakte und Informationen. Am Abend kamen vor allem Theaterleute wie der Regisseur der Berliner Volksbühne, Erwin Piscator, und der Komponist Friedrich Hollaender. Er schrieb die Lieder für Marlene Dietrich im Film *Der blaue Engel.*

Ab 1933 waren die großen Zeiten der Berliner Künstlercafés vorbei. Fast alle „Romanen" gingen ins Exil.

Auf dem Bild von Rudolf Schlichter steht der „rasende Reporter" Egon Erwin Kisch vor seinem Lieblingscafé. Auf der Litfaßsäule sieht man Plakate mit Titeln von Büchern und Reportagen Kischs.

2 Mit welchem der erwähnten Künstler würden Sie gerne an einem Tisch sitzen?

Emigration und Exil

Die Diktatur der Nationalsozialisten hatte katastrophale Folgen für die kulturelle Entwicklung Deutschlands. Viele Künstler und Wissenschaftler wurden verfolgt und unterdrückt. Der Schriftsteller Thomas Mann war einer der ersten, der Deutschland verließ. Wie Tausende anderer deutscher Emigranten lebte er zuerst in Nachbarländern. Prag, Zürich, Paris und Amsterdam waren die europäischen Exil-Hauptstädte. Nachdem das faschistische Deutschland immer größere Teile Europas okkupiert hatte, flüchteten viele in die USA und nach Lateinamerika.

Bücher von Autoren auf der Schwarzen Liste *– Alfred Döblin, Bertolt Brecht, Heinrich und Thomas Mann, Stefan Zweig – wurden öffentlich verbrannt.*

3 Kennen Sie andere Deutsche, die ab 1933 ins Ausland – vielleicht sogar in Ihr Land – geflüchtet sind?

4 „Dort, wo man Bücher verbrennt, verbrennt man am Ende auch Menschen." So schrieb Heinrich Heine lange vor der Nazizeit. Sind Bücher immer noch so wichtig?

Die Kunst des Rheinlands

Nach dem Zweiten Weltkrieg standen auch Literatur und bildende Kunst vor einem Neuanfang. Viele deutsche Künstler blieben im Exil oder waren im Krieg umgekommen.

Für die Schriftsteller der Nachkriegszeit war die *Gruppe 47* ein wichtiger Treffpunkt. Auch der Nobelpreisträger Heinrich Böll gehörte dazu. In vielen seiner Romane und Erzählungen schreibt er über die Kriegserfahrungen und die Probleme der Zeit nach 1945. Eine wichtige Rolle spielen auch seine Heimat, Köln und das Rheinland, und der dort verbreitete Katholizismus.

Ebenfalls im Rheinland, in Düsseldorf, wurde die Staatliche Kunstakademie ein „Motor" für neue Tendenzen in der bildenden Kunst. Ein international bekannter Künstler, der dort studierte und lehrte, war Joseph Beuys.

Joseph Beuys verband bildende Kunst mit theatralischen und politischen Aktionen.

5 Finden Sie im Text andere Wörter für diese Ausdrücke: sterben (gewaltsam), Mitglied sein von, von Bedeutung sein, berühmt!

Literatur aus der Schweiz

Zwei Schweizer Schriftsteller starteten mit dem Ende des Krieges ihre internationale Karriere: Max Frisch und Friedrich Dürrenmatt. Beide studierten in Zürich, beide begannen als Dramatiker und wurden dann auch als Prosaautoren bekannt. Das Schauspielhaus in Zürich war für sie eine wichtige Arbeitsstätte. Anfang der 60er-Jahre hatten hier z. B. die Stücke *Andorra* von Frisch und *Die Physiker* von Dürrenmatt Premiere.

Max Frisch schrieb auch Tagebücher und Romane wie *Stiller* und *Homo Faber*. Die Identitäts- und Persönlichkeitsprobleme der Menschen in unserer Zeit sind sein zentrales Thema. Friedrich Dürrenmatt wurde auch als Autor von Hörspielen und literarischen Kriminalromanen bekannt wie *Der Richter und sein Henker*.

6 Schreiben Sie die Namen aller Künstler auf, die auf diesen beiden Seiten erscheinen! Berichten Sie, von wem Sie etwas gelesen oder gesehen haben!

Frisch (links) und Dürrenmatt haben viel Kritisches und Nachdenkliches über die Schweiz und die Schweizer geschrieben. Trotz einiger Gemeinsamkeiten waren sie sehr unterschiedliche Schriftstellerpersönlichkeiten.

Frisch hat über seine Begegnungen mit Dürrenmatt Folgendes gesagt:

„Viel zum Lachen, wie immer, wenn Friedrich Dürrenmatt das thematische Menü bestimmt […]. Kommt man mit thematischen Wünschen, so ist es schade; es ist immer am köstlichsten, was der Koch sich selber wählt."

Wirtschaft und Industrie

1 Kaufen Sie deutsche Erzeugnisse oder finden Sie welche in Ihrem Haushalt?

Industrie und Handel

Immer noch arbeiten die meisten Menschen in Deutschland in der Industrie. Es gibt Großunternehmen wie *Daimler-Benz* oder *Siemens* mit mehr als 300 000 Beschäftigten. Die Mehrzahl der Unternehmen sind aber mittlere oder kleine Betriebe. Die wichtigsten Industriezweige sind die Automobilproduktion, der Maschinenbau und die chemische und elektrotechnische Industrie.

An der Spitze der deutschen Exportgüter stehen Anlagen für die industrielle Produktion (Werkzeug- und Druckmaschinen), chemische Produkte und Kraftfahrzeuge. Importiert werden vor allem Textilien und Agrarprodukte. Wichtige Handelspartner der BRD sind auf den ersten drei Plätzen Frankreich, Italien und die Niederlande.

2 Welche Industriezweige nehmen in Deutschland die ersten Plätze ein?

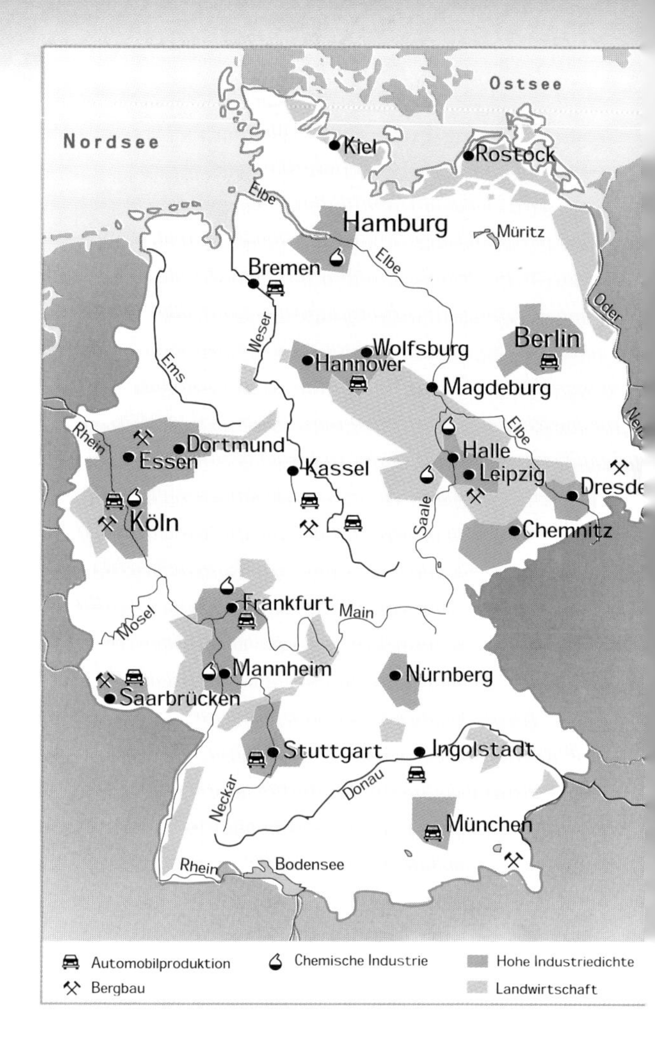

Die Landwirtschaft

Deutschland ist schon lange kein Agrarland mehr, aber in einigen Bundesländern wie in Bayern und Mecklenburg-Vorpommern ist die Landwirtschaft ein wichtiger wirtschaftlicher Faktor. Ungefähr die Hälfte der Fläche der BRD wird landwirtschaftlich genutzt. Ein Großteil der Bauernhöfe wird wie früher als kleiner Familienbetrieb geführt. Aber nur knapp drei Prozent aller Erwerbstätigen sind heute noch „Vollzeit-Bauern".

Die wichtigsten Agrarprodukte „aus deutschen Landen" sind Milch, Fleisch, Getreide und Zuckerrüben. Auch der Wald ist ein Wirtschaftsfaktor. Fast ein Drittel der Fläche der BRD ist mit Wald bedeckt. Er liefert Holz und Sauerstoff und muss deshalb geschützt werden.

3 Wie ist die Situation der Bauern in Ihrem Land?

»Von den Hofbesitzern hier im Dorf ist nur noch einer hauptberuflich Bauer. Dem haben wir auch den Großteil unseres Landes verkauft. Vieh haben wir auch keins mehr, nur noch Enten, Gänse und die Hühner. Ich arbeite schon seit 20 Jahren im Straßenbau. Vor 15 Jahren habe ich den Campingplatz am Fluss eröffnet. Läuft ganz gut jetzt, aber is' auch viel zusätzliche Arbeit, besonders im Sommer.«

Made in Germany

4 Kennen Sie andere Produkte aus Deutschland?

Die Wunderpille

Jeder kennt sie, jeder nimmt sie ein und mit – sogar die Astronauten auf dem Weg ins All: die Kopfschmerztabletten vom Typ Aspirin.

Aber fast niemand weiß, dass er diese Wunderpille des 20. Jahrhunderts zwei Deutschen zu verdanken hat. Felix Hoffmann und Heinrich Dreser haben das neue Medikament im Labor hergestellt und unter dem Namen *Aspirin* 1899 auf den Markt gebracht.

Die Bezeichnung *Aspirin* war nach kurzer Zeit so bekannt, dass sie international ein anderes Wort für Schmerztablette geworden ist.

Und wie neuere Forschungen zeigen, hilft die Pille aus Leverkusen auch Herz- und Kreislaufkranken.

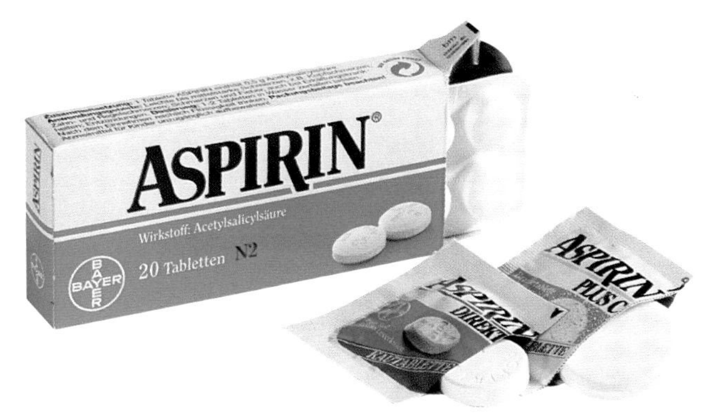

5 Kennen Sie andere Beispiele für Markennamen, die ein Synonym für die Sache an sich geworden sind?

Krisen und Konflikte

1 Bestimmt hören Sie auch von Problemen in der bundesdeutschen Gesellschaft. Was fällt Ihnen zu dem Thema ein?

Jugend in der Krise?

Die jungen Leute in Deutschland haben reale Probleme, aber die meisten blicken trotzdem optimistisch in die Zukunft. Ihre größten Sorgen sind die Ausbildung und die Arbeitslosigkeit. In ganz Deutschland, aber besonders in den neuen Bundesländern gibt es viel zu wenig Ausbildungsplätze.

„Manchmal habe ich schon Angst vor der Zukunft. Egal, was für eine Ausbildung du machst, du weißt nie, ob du später einen sicheren Arbeitsplatz bekommst. Zu DDR-Zeiten hatten wenigstens alle Arbeit. Ich finde es auch blöd, dass sie den Jugendclub hier in der Siedlung geschlossen haben. Jetzt hängen wir nachmittags auf der Straße rum.“

2 Haben die Jugendlichen in Ihrem Land dieselben Sorgen?

„Heute quatschen alle davon, dass die Jugendlichen so unpolitisch und pessimistisch sind. Das stimmt doch gar nicht. Meine Freunde und ich diskutieren oft über Neonazis oder Umweltthemen und unsere Schülerzeitung ist auch ganz schön kritisch. Klar, wir hören auch gern Techno oder kaufen uns geile Klamotten. Aber das heißt ja nicht, dass wir nur blöde und oberflächlich sind.“

3 Was ist an diesem Cartoon komisch? Was nicht?

4 Die Situation auf dem Bild erinnert an ein bestimmtes Ereignis in der jüngeren deutschen Geschichte? Welches?

Fremde Heimat?

Weit mehr als sieben Millionen Ausländer leben in Deutschland, 40% schon 15 Jahre und länger. In den 60er-Jahren suchte die Wirtschaft dringend Arbeitskräfte. Viele der sogenannten Gastarbeiter, die damals nach Deutschland gekommen sind, leben heute auf Dauer hier. Ihre Kinder sind hier geboren und sprechen meist besser Deutsch als ihre Muttersprache.

„Ausländer sind faul und kriminell. Sie nehmen den Deutschen Arbeit und Wohnungen weg.“ Solche Vorurteile hört man nicht nur von Neonazis, sondern auch von „normalen“ Bürgern und sogar von Politikern. Tatsache ist aber, dass die Wirtschaft und das Sozialsystem der BRD ohne die Leistungen der ausländischen Arbeitnehmer gar nicht funktionieren würden.

5 Früher sagte man „Gastarbeiter“, heute „ausländische Arbeitnehmer“. Wie erklären Sie diese Änderung im Sprachgebrauch?

Umweltprobleme

Seit 1986 gibt es in Bund und Ländern Ministerien für Umwelt und Naturschutz. Die verschiedenen Programme und Maßnahmen haben schon einiges verbessert.

Filteranlagen in Kraftwerken verringern die Luftverschmutzung, der „Patient" Wald erholt sich langsam. Auch das Wasser ist sauberer geworden: Im Rhein und in der Elbe leben wieder zahlreiche Fischarten.

Trotzdem hat die BRD noch genügend „Sorgenkinder" im Umweltbereich. Das Leben in Nord- und Ostsee ist in Gefahr. Der Autoverkehr wächst und niemand weiß genau, wo und wie man den Atommüll sicher deponieren kann.

Auch die Bürger und nichtstaatliche Organisationen kümmern sich um den Umweltschutz. In den meisten Haushalten werden die Abfälle getrennt sortiert. Man versucht sparsam mit Energie umzugehen und es gibt viele kleinere Wind- und Solaranlagen.

Um Tiere, Pflanzen und Landschaften zu schützen, gibt es in Deutschland zahlreiche Schutzzonen, z. B. zwölf große Nationalparks.

In den meisten Haushalten werden die Abfälle getrennt sortiert und entsorgt.

6 Wie kann jeder Bürger „privat" Umweltschutz praktizieren?

7 Finden Sie, dass die Deutschen besonders umweltbewusst sind?

Österreich und die Schweiz haben als Transitländer ein gemeinsames Umweltproblem: den Autoverkehr über die Alpen. Bürgerinitiativen verlangen deshalb, vor allem die Lastwagen mit der Bahn durchs Land zu bringen.

FÖJ ...

... ist die Abkürzung für: Freiwilliges Ökologisches Jahr. Jugendliche zwischen 16 und 27 Jahren können daran teilnehmen. Sie arbeiten auf Bio-Bauernhöfen oder in Bio-Läden, retten Kröten vor dem Autoverkehr oder organisieren die Jugendarbeit in Umweltverbänden. Die Teilnehmer bekommen nur ein Taschengeld dafür. Trotzdem gibt es jedes Jahr weit mehr Bewerber als freie Plätze.

8 Würden Sie auch so ein FÖJ absolvieren? In welchem Bereich?

Medienmarkt

1 Wie informieren Sie sich über das politische Tagesleben?

2 Kann man in Ihrem Land deutsche Fernsehsender empfangen?

Sender und Programme

Bis in die 80er-Jahre gab es in der BRD nur den öffentlich-rechtlichen Rundfunk. ARD (Arbeitsgemeinschaft der öffentlich-rechtlichen Rundfunkanstalten Deutschlands) und ZDF (Zweites Deutsches Fernsehen) waren die einzigen nationalen Fernsehprogramme. Die Sender der einzelnen Bundesländer produzieren auch Radioprogramme und regionale Fernsehsendungen, das Dritte Programm.

Heute kann sich keiner mehr vorstellen, nur drei Programme zur Auswahl zu haben. Im Durchschnitt verbringt jeder Bundesbürger über 14 Jahre mehr als drei Stunden täglich vor dem Fernsehapparat. Genauso lange hört er Radio. Viele Haushalte haben Kabel- oder Satellitenfernsehen und -radio.

Die erfolgreichsten Privatsender sind SAT1 und RTL. Sie bieten vor allem Unterhaltung – Spielfilme, Serien, Shows – und Werbung rund um die Uhr.

3 Welche Art von TV-Programmen sehen Sie am liebsten?

Lies mal wieder!

Trotz der Konkurrenz durch neue Medien lesen zwei Drittel der über 14-jährigen Deutschen regelmäßig Bücher.
In Deutschland gibt es über 2000 Verlage, sehr kleine mit zwei oder drei Mitarbeitern und Riesen wie den international tätigen Bertelsmann-Konzern. Bis zum Zweiten Weltkrieg war Leipzig die wichtigste Verlagsstadt in Deutschland. Heute findet man die meisten Verlage in München, Berlin, Hamburg und Frankfurt am Main. In Frankfurt findet jeden Herbst die Internationale Buchmesse statt, die größte der Welt.

3sat 3SAT

10.30 ausland 16:9
11.00 Café Europa
11.45 Auf den Punkt!
12.30 Medikamententest am Menschen
13.00 Praxis – das Gesundheitsmagazin
13.45 Leicht & Locker
14.00 Das Sonntags-Konzert aus Grainau
14.45 Seniorenclub
15.30 tipps & trends
15.55 Gesundheit
16.00 Als die Heiden Christen wurden
16.45 Erlebnisreisen
17.15 ServiceZeit
17.45 Krempel
18.15 Bilder aus Österreich
19.00 heute
19.20 Kulturzeit
20.00 Tagesschau
20.15 Zug um Zug
Ein Lokführer wird Eisenbahnunternehmer
21.00 Hitec – das Technikmagazin
U.a.: Moderne Überwachungstechniken
21.30 Neues ...
22.00 ZIB 2
22.25 Johann Wolfgang von Goethe (2)
Letzter Teil der Dokumentation
23.10 Goethes Klein-Paris als Literatur-Paradies
23.40 Alexander Pereira Porträt
0.25 Seitenblicke

Der Schwerpunkt von 3sat ist Kultur und Information. Es ist ein Gemeinschaftsprogramm des ZDF mit Österreich und der Schweiz.

Eine ganz besondere Straße

Die Lindenstraße und das Leben ihrer Bewohner bilden den Stoff für eine der beliebtesten deutschen Fernsehserien. Jede Folge wird von acht Millionen Zuschauern aller Altersgruppen miterlebt. Das Besondere an der Serie ist, dass sie so realistisch ist. Wenn einer der fiktiven Bewohner der Lindenstraße „stirbt", bekommt die Fernsehredaktion sehr viel Post. Manche Fans fragen, ob sie die frei gewordene Wohnung mieten können!

Die Frankfurter Buchmesse steht jedes Jahr unter einem besonderen Zeichen: 1999 ist das 150-jährige Goethejubiläum.

4 Haben Sie schon mal ein deutschsprachiges Buch im Original gelesen?

Die Presselandschaft

In Deutschland gibt es ungefähr 400 Tageszeitungen. Die meisten sind regionale Zeitungen, die nur in einem kleinen Umkreis gelesen werden. Sie berichten jedoch nicht nur über Lokales, sondern auch über das Weltgeschehen. Einige dieser Zeitungen wie die *Frankfurter Allgemeine Zeitung* oder die *Süddeutsche Zeitung* sind in ganz Deutschland verbreitet und haben großen Einfluss auf die Meinungsbildung. Wochenzeitungen wie *Die Zeit* oder das Nachrichtenmagazin *Der Spiegel* bieten Hintergrundinformationen, Analysen und Reportagen zu aktuellen Themen.

In jedem Zeitungskiosk sieht man, wie riesig das Angebot an deutschsprachigen Zeitschriften und Illustrierten ist. Es gibt Fachzeitschriften für bestimmte Berufe oder Hobbys, Zeitschriften für Frauen und Jugendliche und jede Menge Zeitschriften mit Radio- und Fernsehprogrammen.

Die meistgekaufte Tageszeitung ist die BILD. Sie hat große Bilder, Schlagzeilen und wenig Text. Kritiker sagen: BILD macht blind.

»Ich lese die BILD morgens im Bus, auf 'm Weg zur Arbeit. Die anderen Zeitungen, die 's am Kiosk zu kaufen gibt, sind ja viel zu teuer. Mich interessiert auch nicht so sehr die große Politik, mehr so was anderen Menschen passiert – Glück und Leid, sag ich mal. Und meine Kollegen lesen auch die BILD, da hat man immer Gesprächsstoff.«

5 Was ist der Unterschied zwischen einer Zeitung und einer Zeitschrift?

6 Wie verstehen Sie die Kritik an der BILD?

7 Der BILD-Leser nennt einige Argumente für diese Zeitung. Welche?

8 Ordnen Sie die Zeitschriften den richtigen Sparten zu!

Fachzeitschrift	
Zeitschrift für Frauen	
Zeitschrift für Jugendliche	
Zeitschrift mit Radio- und TV-Programmen	

Die erste Zeitung

Die Presse hat in der Schweiz eine besonders lange Tradition. Die erste Zeitung überhaupt ist angeblich hier gedruckt worden und zwar 1597 in Rorschach. 1610 erschien in Basel eine Wochenzeitung und 1623 in Zürich. Die meisten der heute noch existierenden Zeitungen sind im 19. Jahrhundert gegründet worden.

Berlin erleben

1 Berlin war im 20. Jahrhundert Hauptstadt des Kaiserreichs, der Weimarer Republik, des Dritten Reichs und der wiedervereinigten BRD. Finden Sie die passenden Jahreszahlen!
a 1933; **b** 1871; **c** 1919; **d** 1991

Eine Rundfahrt

Wer einen ersten Überblick über Berlin bekommen möchte, fährt am besten zum Fernsehturm auf dem Alexanderplatz, dem Zentrum Ostberlins. Dort kann man seinen Kaffee in 207 m Höhe trinken. *Unter den Linden*, die ehemalige Prachtstraße, liegt ganz in der Nähe. Sie führt vorbei am Berliner Dom und an der Museumsinsel mit vier Museen bis zum Brandenburger Tor.

Eine besonders preiswerte Stadtrundfahrt bietet die Buslinie 100. Die typischen „Doppeldecker"-Busse fahren vom Alexanderplatz zum Bahnhof Zoo. Von dort ist man sehr schnell am Kurfürstendamm – *Ku'damm* sagen die Berliner – mit seinen vielen Cafés, Restaurants, Theatern, Kinos und der berühmten Gedächtniskirche.

2 Welche der erwähnten Sehenswürdigkeiten interessieren Sie besonders?

Das Bodemuseum auf der Museumsinsel beherbergt interessante Kunstschätze.

Die Bilder der East-Side-Gallery *sind Zeugnisse des Wendejahrs, als Künstler aus aller Welt die Mauer bemalten.*

Zur Mauer, bitte?

Bis zum November 1989 trennte die Mauer die Stadt Berlin in zwei Hälften. Die Übergänge wurden streng überwacht. Auch heute noch wollen die meisten Berlinbesucher die wenigen Reste der Mauer besichtigen. An der Gedenkstätte *Bernauer Straße* erinnern 70 m Mauerreste an die Jahre der Teilung und die über 160 Menschen, die bei Fluchtversuchen hier ums Leben kamen.

3 Wissen Sie noch, was Sie am 9. November 1989 gemacht haben?

»Was ich am 9. November 1989 gemacht habe? Natürlich weiß ich das noch! Am Abend haben wir gehört, dass an der Chausseestraße die ersten aus 'm Osten rübergekommen sind. Da sind wir sofort hin und dann mit all den anderen zum Brandenburger Tor. Die Nacht dort werde ich nie vergessen – unbeschreiblich!«

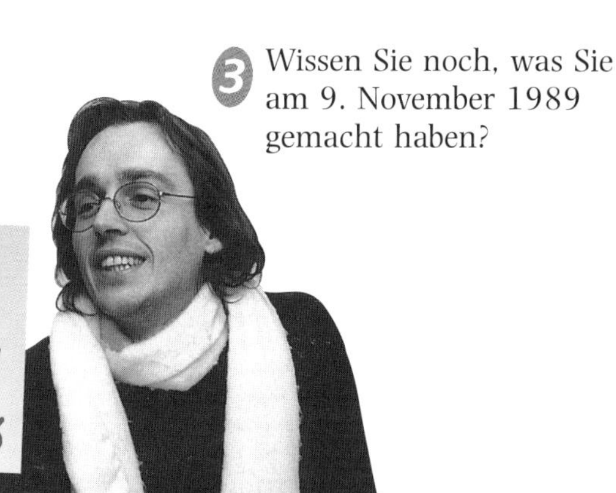

Unterwegs in Berlin

Berliner und Berlin-Besucher nutzen die Vorteile der öffentlichen Verkehrsmittel und fahren mit S-Bahn, U-Bahn, Tram (in Ostberlin) oder den vielen Bussen – pünktlich, sicher und schnell!

Auch „Nachtschwärmer" können mit ca. 60 Bus- und Straßenbahnlinien und am Wochenende zusätzlich auf zwei U-Bahn-Strecken kreuz und quer durch die Stadt fahren. Es gibt günstige Tages- und Touristenkarten. „Schwarzfahren" empfiehlt sich nicht: Die Kontrolleure arbeiten in Zivilkleidung und gelten als besonders unnachgiebig!

Mit der S-Bahn und der Regionalbahn kommt man schnell in die schöne Umgebung Berlins, z. B. nach Potsdam, an den Wannsee und zu den vielen Schlössern und Seen in der Mark Brandenburg. Apropos Seen und Flüsse (oder Kanäle): Auch per Schiff kann man Stadt und Umland kennen lernen.

4 Was sind die Vorteile des öffentlichen Verkehrssystems? Gibt es auch Nachteile?

5 Was bedeutet „schwarzfahren"?

6 nachgiebig – unnachgiebig: Finden Sie mindestens zehn andere Adjektive, die mit der Vorsilbe un- das Gegenteil bedeuten!

Wir machen durch!

Das Nachtleben und die Kulturszene in Berlin waren schon immer eine besondere Attraktion für junge Leute. In Berlin gibt es keine Sperrstunde, so dass Nachtlokale bis in die Morgenstunden geöffnet sind. Bestimmte Bars oder Clubs vor Mitternacht zu betreten ist auf jeden Fall „megaout".

7 Was bedeutet „Sperrstunde"? Gibt es so etwas auch in Ihrem Land?

Die Hälfte der türkischen Bevölkerung in Berlin ist hier geboren und unter 25 Jahre.

Multikulturelles Leben

In keiner anderen deutschen Stadt leben Menschen so vieler verschiedener Nationalitäten wie in Berlin. Nach dem Krieg kamen zuerst die Alliierten. Anfang der 60er-Jahre kamen die sogenannten Gastarbeiter aus Italien, Griechenland, Jugoslawien und später aus der Türkei. Heute sind rund 139 000 Türken in der Stadt zu Hause. Auch Aussiedler und Asylbewerber aus den Krisengebieten Afrikas, Asiens und Europas flüchteten hierher. Die Berliner und ihre ausländischen Mitbürger leben oft nebeneinander, nicht miteinander. Es gibt Vorurteile und Konflikte, aber auch viele Gruppen, die sich um Verständigung und kulturellen Austausch bemühen.

8 Aus welchen Ländern sind seit 1960 Zuwanderer nach Berlin gekommen?

Für Musikfans ist das Angebot in Berlin riesig. Alljährlicher Höhepunkt für Technofans ist die Love Parade im Juli.

Im Nordwesten

1 Welche Bundesländer liegen an der Nordsee? Sehen Sie sich die Karte auf Seite 7 an!

Land der Gegensätze

Niedersachsen ist – nach Bayern – das zweitgrößte Bundesland und landschaftlich sehr abwechslungsreich: 300 km Küste an der Nordsee, die Norddeutsche Tiefebene als Mittelpunkt und das Harz-Gebirge im Süden.

Zwei Drittel der Fläche Niedersachsens sind Agrarland. Traditionelle Bauernhäuser, Getreidefelder, Pferde und schwarz-bunte Kühe auf den Weiden bestimmen dort das Landschaftsbild.

Im Raum Hannover-Braunschweig konzentriert sich die Industrie des Landes. Die jährliche Industriemesse in Hannover ist die größte der Welt. Die Volkswagen-Stadt Wolfsburg liegt in der Nähe der Landeshauptstadt.

In Niedersachsen sprechen und pflegen noch viele Menschen, besonders auf dem Land, ihren Dialekt, das Platt(=Nieder)deutsche. In Hannover dagegen kann man das reinste Hochdeutsch der Republik hören.

Lilafarbenes Heidekraut, sandiger Boden, Wacholder – das sind die typischen Merkmale der Lüneburger Heide. Sie ist eines der ältesten und bekanntesten Naturschutzgebiete Deutschlands.

Das 500 Jahre alte Holstentor steht in der Hansestadt Lübeck.

Wo früher viele Windmühlen standen, gewinnen heute moderne Windräder erneuerbare Energie.

Zwischen Nord- und Ostsee

Schleswig-Holstein ist auf zwei Seiten vom Meer umgeben. Im nördlichsten Bundesland gibt es kaum Wald, aber umso mehr Wind und Wasser. Die Menschen in Schleswig-Holstein haben schon immer von und mit dem Meer gelebt. Sie kennen auch die zerstörerische Gewalt des Wassers. Die Bewohner der Nordseeküste müssen das Land mit immer höheren Deichen gegen Sturmfluten schützen.

Fischerei und Schiffsbau haben sehr an wirtschaftlicher Bedeutung verloren; wichtig sind heute vor allem der Tourismus und die Landwirtschaft.

Schleswig-Holstein ist mit seinen Hafenstädten das „Tor" Deutschlands zu den skandinavischen und den Ostseestaaten. Der Nord-Ostsee-Kanal ist der meistbefahrene künstliche Wasserweg Europas.

In der Landeshauptstadt Kiel findet jedes Jahr die *Kieler Woche* mit Segelregatten und Kulturprogramm statt.

2 Sollten die Windräder einzeln in der Landschaft stehen oder in großen Parks? Was meinen Sie?

Ferien an der Küste

Egal ob Nordsee oder Ostsee – überall an Deutschlands Küsten gibt es schöne Ferienorte. Sehr beliebt sind die Ost- und Nordfriesischen Inseln, z. B. das autofreie Langeoog, Sylt, Treffpunkt der mondänen Gesellschaft, und auch die rote Felseninsel Helgoland mitten im Meer. Die winzigen Inseln an der Westküste von Schleswig-Holstein heißen Halligen. Sie sind nicht durch Deiche gegen das Meer geschützt. Bei Sturm melden sie „Land unter" und die wenigen erhöht liegenden Häuser sind dann wie Schiffe vom Meer umgeben.

An der Nordseeküste erstreckt sich das bis zu 30 km breite Wattenmeer. Bei Ebbe kann man dort mit einem Führer Wanderungen machen: Dieser Nationalpark bietet Lebensraum für viele Tier-, besonders Vogelarten, und Pflanzen.

Wer die Einsamkeit liebt, verbringt seinen Urlaub am besten auf einer Hallig.

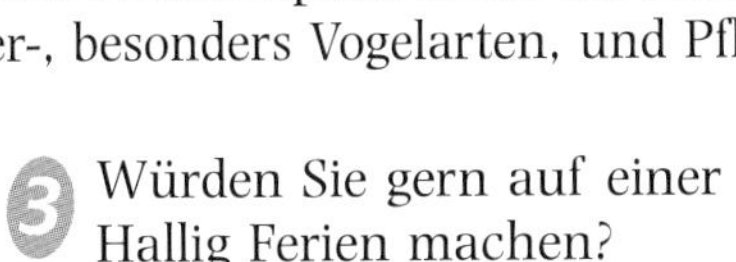

3 Würden Sie gern auf einer Hallig Ferien machen?

Deutsche und Dänen

Tausend Jahre haben sich Deutsche und Dänen um Schleswig-Holstein gestritten. Lange Zeit über bildete das Land eine politische Union mit Dänemark. Nach zwei Kriegen wurde es 1864 Teil Deutschlands und 1866 preußische Provinz. Bei einer Volksabstimmung nach dem Ersten Weltkrieg entschied sich aber die Mehrheit der Bevölkerung im Norden, wo vor allem Dänen lebten, für Dänemark. Schleswig-Holstein verlor ein Fünftel seiner Fläche.

HH und HB

Im Norden Deutschlands liegen auch die beiden Hansestädte Hamburg und Bremen. Sie sind Stadtstaaten, das heißt Stadt und Bundesland zugleich. Der Bürgermeister ist nicht nur der Stadtoberste, sondern auch der Chef der Landesregierung.

Der Hamburger Hafen ist der größte Deutschlands, aber für die Stadt nicht mehr so wichtig wie früher. Hamburg hat viel Industrie und ist auch als Medienstadt bekannt. Große Verlage, Werbeagenturen und Filmproduktionen haben hier ihren Sitz.

Auch Bremen (mit seinem Seehafen Bremerhaven) hat eine lange Tradition des Seehandels. Aber die Schifffahrt ist weltweit in der Krise und der Stadtstaat muss sich wirtschaftlich neu orientieren.

Die breite Promenade des Jungfernstiegs am Ufer der Binnenalster ist das Zentrum des Fremdenverkehrs.

4 Wie heißen die anderen fünf Hansestädte? (Ein Tipp: Schauen Sie auf Seite 64 nach!)

Im Nordosten

1 Welche Region in Ihrer Heimat ist ziemlich ländlich und vielleicht etwas rückständig? Liegt sie am Rande oder im Zentrum des Landes?

Die berühmten Kreidefelsen auf Rügen, Deutschlands größter Insel.

Natur pur

Das neue Bundesland Mecklenburg-Vorpommern ist mit der Vereinigung entstanden und sehr dünn besiedelt: Hier leben auf einem Quadratkilometer nur 82 Einwohner. Schon früher hat man gesagt, dass in Mecklenburg-Vorpommern die Uhren langsamer gehen. Bis ins frühe 20. Jahrhundert waren die Bauern von Großgrundbesitzern abhängig und auch der technische Fortschritt erreichte diese Region sehr spät.

Das größte Kapital des Landes ist die Natur: die Ostseeinseln Rügen und Usedom, die langen Strände an der Küste und die ca. 650 Seen der Mecklenburgischen Seenplatte. Die Entwicklung eines „sanften“ Tourismus soll verhindern, dass die Naturschönheiten zerstört werden.

Rostock ist die größte Stadt in Mecklenburg-Vorpommern. Landeshauptstadt wurde aber nach der Wiedervereinigung die alte Residenzstadt Schwerin.

Der Strandkorb

Der offizielle Erfinder dieses typisch deutschen Freizeit-Möbels war der Korbmacher Johann Falk vom Hof in Rostock. Ende des 19. Jahrhunderts kamen die Strandkörbe an Deutschlands Küsten in Mode.

2 Viel Tourismus kann auch negative Folgen für eine Region haben. Welche sind das? Wie kann man sie Ihrer Meinung nach vermeiden?

Die Marienkirche in Lübeck

Das Rathaus in Stralsund

Die Hanse

Die Hanse war seit etwa 1350 ein politischer und wirtschaftlicher Bund von deutschen und anderen Handelsstädten. 70 bis 80 Städte, vor allem in Norddeutschland und an der Küste, gehörten dazu. 200 Jahre lang hatte die Hanse das Handelsmonopol im Ostseeraum. Sie führte Kriege und organisierte den Austausch von Waren. Viele Giebelhäuser und Kirchen im typischen Stil der Backsteingotik stammen aus dieser Zeit. Sie bezeugen über Jahrhunderte hinweg den Reichtum und die Macht der Hansestädte.

Hamburg, Bremen, Lübeck, Rostock, Wismar, Stralsund und Greifswald tragen heute noch den offiziellen Namen *(Freie) Hansestadt* und den Buchstaben *H* im Autokennzeichen.

Das Land um Berlin

Brandenburg, das größte der neuen Bundesländer, umschließt die Hauptstadt Berlin. Ganz in der Nähe liegt die Landeshauptstadt Potsdam.

Brandenburg war lange Zeit Agrarland. Der wenig fruchtbare Sandboden hat den Bewohnern aber nie großen Reichtum gebracht. Im 17. und 18. Jahrhundert wurden viele Siedler aus anderen Ländern geholt. Diese Einwanderer – Holländer, Böhmen, Hugenotten aus Frankreich – waren eine große Hilfe bei der Entwicklung des Landes.

Zu DDR-Zeiten war Brandenburg ein Zentrum der Großindustrie. Für die Arbeiter in der Stahl- und Eisenindustrie wurde Eisenhüttenstadt als „erste sozialistische Stadt" neu gebaut. In der Umgebung von Cottbus konzentrierte sich der Braunkohleabbau. Heute stehen diese Regionen vor großen wirtschaftlichen, sozialen und ökologischen Problemen.

Im Schloss Cecilienhof in Potsdam verhandelten 1945 die Siegermächte über die Zukunft Deutschlands. Die Potsdamer Beschlüsse regelten die Aufteilung in Besatzungszonen und andere wichtige Fragen.

3 Wofür ist Potsdam berühmt? (Sehen Sie auf Seite 49 nach!)

Fontanes Wanderungen

Typisch für Brandenburg und Mecklenburg-Vorpommern sind die alten Alleen. Die meisten sollen bleiben, auch wenn es hier immer wieder „kracht". Schließlich kann man auf so schönen Strecken auch langsam fahren!

In seinen *Wanderungen durch die Mark Brandenburg* (angefangen 1859) beschreibt der Dichter Theodor Fontane im Stil des Reisefeuilletons Naturschönheiten, Kirchen und Schlösser und die Bewohner der Region.

Es ist mit der märkischen Natur wie mit manchen Frauen.
„Auch die häßlichste" – sagt das Sprichwort – „hat immer noch sieben Schönheiten." Ganz so ist es mit dem „Lande zwischen Oder und Elbe"; wenige Punkte sind so arm, daß sie nicht auch ihre sieben Schönheiten hätten.
Man muß sie nur zu finden verstehen. Wer das Auge dafür hat, der wag es und reise.

4 Was für ein „Auge" braucht der Besucher der Mark Brandenburg?

5 Übernehmen Sie eine Rolle und führen Sie mit einem Partner ein Streitgespräch zum Thema: „Alleen erhalten – ja oder nein?". Der eine ist Straßenbauingenieur, der andere Naturschützer.

An Rhein und Ruhr

1 Welche der folgenden Aussagen sind richtig?

- Bonn ist die **a** Hauptstadt Nordrhein-Westfalens
  b Hauptstadt der BRD
  c ehemalige Hauptstadt der BRD.
- In Nordrhein-Westfalen gibt es **a)** 20, **b)** 25, **c)** 30 Städte mit mehr als 100 000 Einwohnern.

Von 1949 bis zur Wiedervereinigung war Bonn die Hauptstadt der BRD.

Der „Kohlenpott" Deutschlands

Nordrhein-Westfalen ist das bevölkerungsreichste Bundesland. Fast 18 Millionen Menschen leben hier, vor allem im Zentrum des Landes, im Ruhrgebiet. Dort reiht sich eine Großstadt an die andere. Das rheinisch-westfälische Wirtschaftsgebiet ist das größte Industriezentrum Europas. Der traditionelle „Kohlenpott" Deutschlands ist aber nur noch zu dreißig Prozent von Kohle und Eisen abhängig. Heute stehen chemische Industrie und Maschinenbau an erster Stelle.

Nordrhein-Westfalen ist auch ein grünes Land mit viel Wald und Wasser(kraft). Viele Seen sind durch Stauwerke entstanden oder füllen die Löcher, die der Tagebau hinterlassen hat.

Die Landeshauptstadt Düsseldorf, Zentrum von Kunst und Mode, liegt direkt am Rhein. Hier „sitzen" 40 der 100 größten deutschen Firmen und auch viele japanische Konzerne. Die über 50 Universitäten und zahlreiche Technologiezentren im Land sorgen für qualifizierte Arbeitskräfte und das wissenschaftliche „know-how".

Wie die meisten Städte am Rhein wurde auch Köln von den Römern gegründet. Heute ist die größte Stadt in Nordrhein-Westfalen bekannt für ihre Museen und als Messe- und Medienstadt.

Im Berg arbeiten

Im 19. Jahrhundert kamen Millionen Menschen, darunter viele aus den heute polnischen Gebieten, ins Ruhrgebiet. Vater, Sohn und Enkelsohn: Alle waren „Kumpel", das heißt Bergarbeiter. Sie lebten in ärmlichen Siedlungen im Schatten der Fördertürme und waren stolz auf ihren Beruf. Aber immer mehr Kohlengruben und Bergwerke schließen. Der Urenkel kennt die harte Arbeit unter Tage nur noch aus Erzählungen.

2 Was ist das Wahrzeichen von Köln? Was wissen Sie über seine Geschichte? (Schauen Sie auf Seite 48 nach!)

3 Drei große Städte im Ruhrgebiet heißen
D _ _ t _ u _ d, _ s s _ _ und D _ _ _ b _ r g.

Weinland im Südwesten

Rheinland-Pfalz ist berühmt für seine Weine. Zwei Drittel der deutschen Weinproduktion kommen aus den Weinbergen an den Flüssen Rhein, Mosel und Lahn. Im südlichen Teil des Bundeslandes ist das Klima so mild, dass dort Feigen, Zitronen und Tabak wachsen.

Städte wie Mainz, Trier und Koblenz erzählen von ihrer langen Geschichte seit der Römerzeit. In Speyer, Worms und Mainz stehen die großen Kaiserdome aus dem Mittelalter.

Die Hauptstadt von Rheinland-Pfalz ist Mainz. Ein Museum, ein Denkmal und der Name der Universität erinnern an den berühmtesten Sohn der Stadt: Johannes Gutenberg, Erfinder des Buchdrucks.

Neben dem Wein ist die chemische Industrie sehr wichtig für die Wirtschaft des Landes. In Ludwigshafen steht das größte Chemiewerk Europas: die *Badische Anilin- und Soda-Fabrik*, besser bekannt als *BASF*.

4 Auf Seite 11 finden Sie weitere Informationen über Gutenberg. Fassen Sie alles in einem kurzen Porträt zusammen!

Auf einer Fahrt mit dem Schiff kann man das romantische Rheintal mit seinen alten Ritterburgen besonders gut kennen lernen.

Die Eisenhütte Völklingen ist nicht die einzige in der Region, die stillgelegt wurde. Aber als Industriedenkmal auf der UNESCO-Liste ist sie etwas Besonderes.

Klein, aber europäisch

An der Grenze zu Luxemburg und Frankreich liegt das Saarland. Saarbrücken ist die Hauptstadt und gleichzeitig die einzige Großstadt des kleinen Bundeslandes.

Das Land wurde 1920 und dann auch nach dem Zweiten Weltkrieg von Deutschland abgetrennt. Frankreich wollte eine Wirtschaftsunion und die politische Unabhängigkeit des Gebiets. Erst 1957 wurde das Saarland wieder Teil der Bundesrepublik.

Wie das Ruhrgebiet verdankte das Saarland seinen wirtschaftlichen Aufstieg der Kohle in der Erde. Die Krise in der Montanindustrie hat das kleine Land hart getroffen. Aber die guten Verbindungen zu den europäischen Nachbarn, besonders zu Frankreich, sind ein wichtiges „Startkapital" für die Zukunft im vereinten Europa.

In der Mitte

1. Ist die geografische Mitte Deutschlands auch das wirtschaftliche und kulturelle Zentrum des Landes?

2. Die Mitte Deutschlands mit den vielen Wäldern ist die Landschaft der deutschen Märchen. Welche kennen Sie – z. B. von Grimms Märchen?

An Rhein und Main

Hessen ist durch seine Wirtschaft eines der reicheren Bundesländer. In der Rhein-Main-Region finden sich Weltfirmen wie Hoechst und Opel. Frankfurt am Main ist Sitz vieler Banken und der größten deutschen Börse. Der Frankfurter Flughafen ist der zweitgrößte Europas. Auch kulturell hat die Stadt Goethes einiges zu bieten: das Museumsufer am Main, eine eigene Oper, renommierte Theater und Kunsthallen wie z. B. die *Schirn* mit Ausstellungen moderner Kunst.

Im Norden ist die Stadt Kassel Mittelpunkt des zweiten hessischen Wirtschaftszentrums. Hier findet alle fünf Jahre die *documenta* statt. Seit 1955 kann man dort das Neueste aus der Internationalen Kunst sehen.

In den ländlichen Gebieten zeigt das waldreiche Bundesland Hessen ein ganz anderes Gesicht. Die Menschen dort sprechen noch ihre lokalen Dialekte und haben viel Sinn für Tradition.

Frankfurt ist Deutschlands einzige Stadt mit „Skyline". Einen neuen Höhepunkt bildet mit 298 Metern das Haus der Commerzbank. Und die Euro-Hauptstadt will noch weiter nach oben!

3. Warum wird Frankfurt am Main auch „Mainhattan" genannt?

Die hessische Landeshauptstadt Wiesbaden ist auch ein eleganter Kurort und berühmt für ihre Heilquellen. Zum Kurhaus gehört – wie in vielen Badeorten – ein Spielkasino.

Zur Kur fahren

Ein Arzt kann seinen Patienten eine Kur verordnen. Aber auch für einen Fitness-Urlaub sind die über 300 Kurorte in Deutschland ideal. Schon Kaiser und Könige ließen sich dort von ihren Krankheiten „kurieren".
Kurorte haben ein mildes Klima, eine schöne Umgebung und Thermalquellen. Der Kurgast muss zwar Kurtaxe bezahlen, aber dafür ist das Kurkonzert im gepflegten Kurpark gratis!

4. Was ist ein Kurort? Geben Sie eine kurze Definition mit eigenen Worten!

Das „grüne Herz"

Durch die Vereinigung ist das Land Thüringen im Südwesten der früheren DDR in die Mitte Deutschlands gerückt. Der Thüringer Wald mit seinen Bergen (bis 984 m hoch) und den einsamen Orten in den Tälern ist das „grüne Herz" und ein beliebtes Touristenziel.

Thüringen braucht den Fremdenverkehr, denn Arbeitsplätze in Industrie und Landwirtschaft sind nach der Wende rar geworden.

Die Wartburg bei Eisenach ist sehenswert. Hier versteckte sich 1521–1522 der Kirchenreformator Martin Luther und übersetzte das Neue Testament. 1817 demonstrierten hier national-liberal gesinnte Studenten.

Touristisch interessant sind auch die Städte Weimar und Jena. Die frühere Residenz- und Hauptstadt Weimar war um 1800 das Zentrum der deutschen Klassik. Wegen ihrer besseren Infrastruktur wurde aber 1990 Erfurt die neue Hauptstadt Thüringens.

Der Rennsteig, ein alter Handelsweg auf den Höhen des Thüringer Waldes, ist heute bei Wanderern und Skifahrern beliebt.

An Elbe und Saale

Das Gebiet von Sachsen-Anhalt war das Kernland des mittelalterlichen deutschen Reiches. Der Besucher findet dort noch viele Zeugnisse der Vergangenheit: Schlösser und Burgen, die Dome von Magdeburg und Naumburg und alte Fachwerkhäuser.

Der Norden mit seinen fruchtbaren Böden ist das Zentrum der Landwirtschaft. Im Süden liegen große Industriegebiete mit Braunkohle- und Kaligruben und chemischen Fabriken.

In der Region um Halle und Bitterfeld sind die Umweltschäden enorm. Die notwendigen Reparaturarbeiten kosten viele Milliarden.

Hauptstadt von Sachsen-Anhalt ist Magdeburg an der Elbe. Die größte Stadt des Landes, Halle an der Saale, wurde reich durch die Salzgewinnung und berühmt durch die 1694 gegründete Universität. Die Händel-Festspiele erinnern jedes Jahr an den berühmten Komponisten aus Halle.

In Quedlinburg im Harz kann man das Mittelalter „live" erleben. Die kleine Stadt hat über 1200 Fachwerkhäuser aus sechs Jahrhunderten.

5 Das Fachwerk war im Mittelalter in Deutschlands Städten und Dörfern die vorherrschende Bauweise. Welche Materialien wurden für Fachwerkhäuser benutzt?

Ein starker Neuer

1 Welches Mittelgebirge grenzt Sachsen nach Süden hin ab? Sehen Sie auf der Karte auf Seite 7 nach!

Innovativ und kreativ

Sachsen ist unter den neuen Bundesländern das bevölkerungsreichste Land und am stärksten industrialisiert. Die Bergbaugebiete im Erzgebirge im Süden und die Industrieregionen um Chemnitz und Leipzig gehören zu den ältesten Europas. Auch die deutsche Arbeiterbewegung wurde im 19. Jahrhundert in Sachsen „geboren". Die Sachsen spielten auch eine besonders aktive Rolle bei der friedlichen Revolution in der DDR, die 1989 die Wende brachte.

Die größte Stadt des Landes ist Leipzig. Hier wurde und wird gehandelt. Die Leipziger Messe ist ein wichtiger Treffpunkt vor allem für Kontakte mit Osteuropa. Auch als Musikstadt ist Leipzig weltbekannt: Johann Sebastian Bach arbeitete hier viele Jahre für die Kirche als Musikdirektor, Komponist und Organist.

Die Landeshauptstadt Dresden ist mit ihren Museen, Kunstsammlungen und berühmten Bauten des Barock das kulturelle Zentrum des Landes. In Meißen kann man die sächsische Porzellanmanufaktur, die älteste Europas, besichtigen.

Kindheit in Dresden

In seinem Buch *Als ich ein kleiner Junge war* erzählt der bekannte Autor Erich Kästner (1899–1974) Kindern und Erwachsenen von seiner Kindheit in Dresden.

Wenn es zutreffen sollte, dass ich nicht nur weiß, was schlimm und hässlich, sondern auch, was schön ist, so verdanke ich diese Gabe dem Glück in Dresden aufgewachsen zu sein. [...] Die katholische Hofkirche, Georg Bährs Frauenkirche, der Zwinger, [...] und gar, von der Loschwitzhöhe aus, der Blick auf die Silhouette der Stadt mit ihren edlen, ehrwürdigen Türmen, [...]. ... die Stadt Dresden gibt es nicht mehr. [...] Jahrhunderte hatten ihre unvergleichliche Schönheit geschaffen. Ein paar Stunden genügten, um sie vom Erdboden fortzuhexen.

2 Kennen Sie andere Bücher von Erich Kästner?

3 Wann und wie wurde Dresden vom Erdboden „fortgehext"? Ist in Dresden tatsächlich nichts von den historischen Bauten erhalten? Sehen Sie auch auf Seite 48 nach!

Wie haben Sie die friedliche Revolution erlebt?

„Mit einer Freundin traf ich mich in der Nikolaikirche, wo jeden Montag ein Friedensgebet stattfand. Dann liefen wir mit den anderen, die sich vor der Kirche versammelt hatten, durch die Straßen. Es war dunkel, voll und die Leute waren etwas ängstlich! Aber wir wollten, dass sich etwas ändert: die Regierung, unsere Lebensumstände."

Sudetendeutsche

Die in Böhmen und Mähren angesiedelten Deutschen wurden seit 1902 Sudetendeutsche genannt. Kurz vor dem Ende des 2. Weltkriegs wurden sie des Landes verwiesen. Von den fast 3 Millionen Sudetendeutschen durften nur knapp 200 000 in ihrer Heimat bleiben. Heute lebt eine kleine deutsche Minderheit in der Tschechischen Republik.

4 Wissen Sie, in welchen Ländern deutsche Minderheiten leben? Sehen Sie auf Seite 10 nach!

Die sächsische Romantik

Das Böhmische Mittelgebirge, das Riesengebirge und die Gegend um das Elbsandsteingebirge zogen Landschaftsmaler wie Caspar David Friedrich an. Die Natur wurde ein sehr wichtiges Motiv in der Malerei der Romantik. Die Elbestadt Dresden war Anfang des 18. Jahrhunderts geistiges Zentrum für viele Künstler der Romantik. Die Dichter Ludwig Tieck, Novalis, Jean Paul und der Musiker-Dichter E.T.A. Hoffmann trafen hier zusammen. Die philosophischen Führer der Romantik, die Brüder Schlegel und Schelling, kamen zu Besuch und Heinrich von Kleist wirkte bei der Kunstzeitschrift *Phoebus* mit. Carl Maria von Weber komponierte hier die erste romantische Oper, den *Freischütz*.

Fantasie, Gefühl und die Suche nach dem „Wunderbaren" kennzeichnen die Gedichte, Dramen, Märchen und Romane dieser Epoche.

5 Welche deutschen Märchenerzähler kennen Sie? Gibt es in Ihrem Land auch Märchen?

Die Felsenlandschaft im Elbsandsteingebirge *wurde um 1812 von Caspar David Friedrich gemalt. Diese wildromantische Szenerie weckt Assoziationen mit der* Wolfsschlucht *in Carl Maria von Webers Oper* Freischütz.

6 Welche Gefühle weckt dieses Gemälde bei Ihnen? Möchten Sie sich in dieser Landschaft aufhalten?

Im Süden

1 Worin unterscheiden sich die Süddeutschen von den Norddeutschen? Was meinen Sie?

High-Tech und Sommerfrische

Baden-Württemberg grenzt an Frankreich und die Schweiz und gehört zu den landschaftlich schönsten Regionen in Deutschland. Der Schwarzwald und der Bodensee im Süden sind beliebte Feriengebiete. An den Hängen der Täler wachsen Wein und Obst, denn das Klima ist mild und der Boden fruchtbar.

Es ist aber auch ein hochindustrialisiertes Land mit dichtbesiedelten Wirtschaftszentren im Raum Mannheim-Karlsruhe und Stuttgart-Heilbronn. Fast ein Fünftel des deutschen Exports kommt aus Baden-Württemberg, z. B. Mercedes aus der Landeshauptstadt Stuttgart.

Zwischen 1804 und 1808 arbeiteten die „Heidelberger Romantiker“ Brentano, Arnim und Görres in der malerischen alten Universitätsstadt Heidelberg. Sie wurde zu einem der meistbesuchten touristischen Ziele in Deutschland.

Auch Freiburg im Südschwarzwald mit seinem mittelalterlichen Münster ist sehenswert.

Karlsruhe ist das Zentrum des badischen Landesteils und Sitz von Bundesgerichtshof und Bundesverfassungsgericht, den höchsten deutschen Gerichten.

Vom „Philosophenweg“ hat man den besten Blick auf Heidelberg mit seinen Neckarbrücken und dem imposanten Schloss.

2 Wofür ist der Schwarzwald berühmt?

Die Schwaben

Die Schwaben leben in Bayern und Baden-Württemberg und gehören zur Volksgruppe der Alemannen. Jeder Deutsche erkennt die Schwaben an ihrem typischen Dialekt, sogar wenn sie Hochdeutsch sprechen. „Schaffe, spare, Häusle baue“ – von den Schwaben sagt man, dass sie sehr fleißig, sparsam und ordnungsliebend sind. Sie gelten auch als besonders erfindungsreich. Das Fahrrad, das Automobil und nicht zuletzt die Kuckucksuhr sind im „Schwabenland“ erfunden worden.

Der Freistaat Bayern

Bayern ist flächenmäßig das größte Bundesland und war lange Zeit Agrarland. Es ist auch heute noch der größte deutsche Nahrungsmittelproduzent. In den Jahren nach dem Krieg hat aber sehr schnell die Industrie die erste Stelle eingenommen. Auch der Tourismus bringt dem Land Geld und Arbeitsplätze. Wirtschaftliche Zentren sind neben München die Städte Nürnberg und Augsburg. München, die Landeshauptstadt an der Isar, ist wegen ihres südlichen Flairs und der landschaftlich schönen Umgebung ein beliebter Wohnort. Viele verbinden München mit Biergärten und dem berühmten Oktoberfest, aber Galerien, Museen, Straßencafés und Bauwerke aller Stilepochen zeugen von seiner Kultur.

Bayern hat eine traditionsreiche Geschichte. Sie zeigt sich auch in den prunkvollen Bauten der Kirche und der bayrischen Könige. Barock- und Rokokokirchen (wie die berühmte Wieskirche bei Steingaden) findet man auch in den kleinen bayrischen Dörfern.

Ein traditionelles Kleidungsstück der Bayern, die handgemachte, echte Lederhosn, *ist „in", und das nicht nur in Bayern.*

Ein bayrisches Märchen

Eine fantastische Märchenwelt zeigt sich in den Schlössern des bayrischen Königs Ludwig II.: *Herrenchiemsee*, *Neuschwanstein* und *Linderhof* entführten den König in eine magische, irreale Welt, die der Kunst und der Musik Wagners gewidmet war.

Schloss Neuschwanstein *im Allgäu wurde nach dem Modell der Thüringer* Wartburg *erbaut.*

Ausflug in die Natur

Bayern, das Land der Berge und Seen, grenzt im Süden an die Alpen. Von Garmisch-Patenkirchen, dem bedeutendsten deutschen Wintersportort, kann man den höchsten Gipfel der deutschen Alpen erreichen: die Zugspitze mit 2963 Metern. Die Alpen und das Alpenvorland sind reich an schönen Seen: Ammer-, Starnberger-, Chiem-, Tegern- und Walchensee sind nur einige davon. Bei Lindau berührt Bayern den Bodensee.

Im Norden Bayerns sind die Berge nicht so hoch. Das Fichtelgebirge ist ein Mittelgebirge mit viel Wald, Felslabyrinthen und Steingärten.

3 Hat Bayern Anteil an den Alpen?

4 Können Sie alle bayrischen Gebirgszüge benennen? Benutzen Sie die Karte auf Seite 7!

An der Donau

1 Warum ist die Donau für Österreich so wichtig?
Hat Ihr Land auch einen größeren Fluss?

Eine Donaufahrt

An der schönen, blauen Donau heißt ein bekannter Walzer von Johann Strauß Sohn. Die vielbesungene Donau ist Österreichs wichtigster Fluss. Sie dient als Wasserweg und produziert Elektrizität – ungefähr ein Viertel des österreichischen Stroms kommt aus Donaukraftwerken.

An den Ufern der Donau liegen Vergangenheit und Gegenwart nah beieinander. Hier einige sehenswerte Stationen.

Passau

Burgruine Schaumberg

Linz

Mauthausen

Burgruine Schaumberg

Schaumberg ist eine der vielen Burgen und Burgruinen, die auf beiden Seiten die Donau bewachen. Hier saßen die adligen Herren und kassierten Zoll von den Handelsschiffen.

Maria Laach

Maria Laach ist Österreichs wichtigster Wallfahrtsort. Übrigens 78% aller Österreicher sind katholisch. Der geschnitzte Altar und das Bild der Maria mit sechs Fingern in der gotischen Pilgerkirche sind weltbekannt.

Passau

Im bayrischen Passau hat die Donau auf ihrem Weg von der Quelle im Schwarzwald schon einige Hundert Kilometer hinter sich. Nicht weit von der alten Bischofsstadt mit den vielen Kirchen und Klöstern passiert der Fluss die Grenze zu Österreich.

Linz

Linz ist die Hauptstadt von Oberösterreich und die drittgrößte Stadt in ganz Österreich. Von der Donau aus sieht man Zeugen der Vergangenheit und Gegenwart: die barocke Altstadt und die riesigen Anlagen der Stahl- und Chemieindustrie.

Mauthausen

Mauthausen („Maut" bedeutet Zoll) war früher eine wichtige Zollstelle. Aber nur wenige Besucher wissen über die jüngere Vergangenheit Bescheid. Die Nationalsozialisten hatten hier von 1939 bis 1945 ein großes Konzentrationslager.

2 Wo entspringt die Donau?
Wo mündet sie ins Meer?

3 Die Donau ist der zweitlängste Fluss Europas? Wie heißt der längste?

ürnstein

. Dürnstein ist die
nau besonders
ıön. Die Wachau ist
e Landschaft, die
:h an Wein, Wald
d Burgen ist.

Klosterneuburg

Nicht weit von Wien liegt Klosterneuburg. Die Bibliothek des Stifts beherbergt kostbare Gemälde und Bücher.

Hainburg

Von Wien aus kann man auf der Donau einen Tagesausflug in die slowakische Hauptstadt Bratislava machen. Südöstlich von Wien liegen die *Donauauen*. Eine so große „Wasser-Landschaft" dieser Art gibt es nur einmal in Europa. Als Nationalpark ist sie besonders geschützt. Nach Hainburg verlässt die Donau nach ungefähr 350 Kilometern Österreich und heißt nun „Dunaj". Bevor sie südlich von Odessa ins Schwarze Meer mündet, ändert sie noch einige Male Namen und Nationalität.

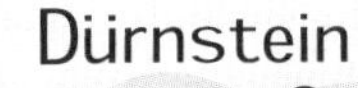

Dürnstein

ria
ıch

AKW Zwentendorf

Klosterneuburg

elk

Der Wienerwald

Kahlenberg

Hainburg

AKW Zwentendorf

An dieser Stelle erblickt der Donaureisende ein besonderes Zeugnis der jüngeren Geschichte: die Schornsteine des Atomkraftwerks Zwentendorf. Bürgerprotest verhinderte 1978, dass die fertige Anlage in Betrieb ging. Seitdem hat Österreich ein Atomsperrgesetz, das den Bau von Atomanlagen verbietet.

Der Wienerwald

Südlich von Klosterneuburg und westlich von Wien liegt der Wienerwald, ein Mittelgebirge. Viele kleine Weinorte mit Heurigenlokalen und romantische Täler machen diese Gegend zu einem beliebten Ausflugsziel.

Melk

ıuf einem Granitfelsen hoch
ıber der Donau liegt das
nächtige Stift Melk. Diese
ɔrachtvolle Barockanlage ist
:ine der schönsten in ganz
Ɔsterreich und beherbergt
:ine große Bibliothek.

Kahlenberg

Vom Kahlenberg (483 m) hat man eine wunderbare Aussicht auf Wien und das Wiener Becken. Der Berg spielte im Jahr 1683, als Wien von den Türken befreit wurde, eine wichtige strategische Rolle.

Das Zentrum Wien

1 Man sagt, Wien und die Wiener haben ein besonderes „Flair". Welche Vorstellung haben Sie davon?

Kaffeehaus statt Wohnzimmer

Von den Wienern sagt man, dass sie nicht gerne zu Hause sind, sondern am liebsten im Kaffeehaus sitzen. Wer dort allerdings einfach einen Kaffee bestellt, bekommt Probleme. Es gibt ein riesiges Angebot und die vielen Namen für die verschiedenen Zubereitungsarten sind eine Wissenschaft für sich. Ein *Einspänner* z. B. ist ein Espresso im Glas mit Schlagsahne (*Schlagobers* sagen die Österreicher). Ein *kleiner Brauner* ist eine kleine Tasse Kaffee mit ein bisschen Milch und eine *Melange* ein Milchkaffee. Und natürlich gibt es in einem echten Wiener Kaffeehaus ein Glas Wasser dazu und manchmal auch einen „grantigen" (grantig = schlecht gelaunt, unfreundlich) Kellner. Der heißt hier übrigens „Herr Ober".

Der Stephansdom ist seit dem Mittelalter das Herzstück des Wiener Stadtzentrums.

Das Riesenrad im Prater ist eines der Wahrzeichen Wiens. In zehn Minuten dreht es sich gemütlich bis zum höchsten Punkt (65 m). Berühmt wurde es auch durch Carol Reeds Film Der dritte Mann.

Im Kaffeehaus kann man in Ruhe Zeitung lesen, philosophieren oder Schach spielen.

2 Wie trinken Sie Ihren Kaffee am liebsten?

Der Mann mit der Couch

Über fünf Jahrzehnte lebte und arbeitete der Psychoanalytiker Sigmund Freud (1856–1939) in Wien. Seine Wohnung in der Berggasse ist jetzt ein Museum. Freuds psychologische Theorien waren damals ein Skandal. Heute gehören seine Einsichten zur Sexualität und zum Unbewussten zur Allgemeinbildung. Die berühmte Couch, auf die Freud seine Patienten legte, steht aber nicht in Wien, sondern in London. Dorthin musste der jüdische Wissenschaftler, verfolgt von den Nazis, 1938 emigrieren.

3 Warum musste Sigmund Freud nach England ins Exil gehen? Wie lange hat er dort gelebt?

Die Habsburger

Die Stadt Wien war mehr als 600 Jahre lang das Zentrum der Habsburger Monarchie. Von hier aus regierten Herrscher wie Maria Theresia und Franz Joseph ihr riesiges Reich. Die Habsburger haben das Gesicht der Stadt geformt. Der Stephansdom, die Hofburg, das Schloss Schönbrunn und viele andere Baudenkmäler erinnern an die große Zeit der Dynastie. In den Museen und Schatzkammern kann man Bilder, Kronjuwelen und andere Kostbarkeiten besichtigen. Erst 1918 nach dem Ersten Weltkrieg ging die Ära der Habsburger zu Ende. Aber in Wien ist ihr Erbe bis heute lebendig.

Die Wiener Hofburg war das Machtzentrum des Habsburger Reichs bis 1918. Heute beherbergt die riesige Palastanlage die Amtsräume des Bundespräsidenten, die berühmte Spanische Reitschule, Museen, Kongress- und Ballräume und die Nationalbibliothek.

Wien tanzt und singt

Im Januar und Februar ist in Wien Ballsaison: Opernball, Feuerwehrball, Studentenball ... Und alle tanzen Walzer – auch links herum. Der Wiener Kongress zu Beginn des 19. Jahrhunderts brachte den Tanz in Mode.

Auch der Chor der Wiener Sängerknaben hat eine lange Tradition. Die Ausbildung im Internat und die vielen Auftritte sind harte Arbeit für die Jungen. Mit dem Stimmbruch – also mit ungefähr zwölf Jahren – ist ihre Zeit im Chor beendet. Später werden aber viele ehemalige Sängerknaben Berufsmusiker.

Das Majolikahaus in Wien und dieses Porträt von Klimt zeugen vom Wiener Jugendstil.

Jugendstil – Wiener Art Nouveau

In Wien wurde der Jugendstil 1897 durch die Künstler der Sezession verbreitet. Zu den berühmtesten Vertretern gehörten der Maler Gustav Klimt, der Designer Koloman Moser und die Architekten Otto Wagner und Josef Hoffmann. Die Suche nach neuen Formen, reiche Ornamentik und die Betonung von Linien und Flächen sind bezeichnend für diese Kunstrichtung.

Nieder- und Oberösterreich

1 Wie viele Bundesländer hat Österreich insgesamt? Schauen Sie auf der Karte auf Seite 7 nach!

Das Land um Wien

Niederösterreich ist das größte Bundesland und umschließt die Bundeshauptstadt Wien. Im Norden liegen das Wald- und das Weinviertel, im Süden die fruchtbare Donauebene und das Alpenvorland. Die Region war schon in prähistorischer Zeit besiedelt und gilt als das Kernland Österreichs. Auch der Weinbau hat hier Tradition. 60% aller österreichischen Weine kommen aus Niederösterreich, z. B. der *Grüne Veltliner*, ein leichter und trockener Weißwein.

Neben der Landwirtschaft sind die Erdöl- und Erdgasfelder nordöstlich von Wien ein wichtiger Wirtschaftsfaktor.

Seit 1986 ist St. Pölten die Landeshauptstadt. Vorher war Wien auch das Verwaltungszentrum für Niederösterreich.

Baden bei Wien hat eine hübsche Altstadt.

Von Payerbach ist es nur ein Sprung auf den Semmering, einen beliebten Ausflugsberg südlich von Wien.

Die „Kellergassen" liegen außerhalb der Dörfer mitten in den Weingärten. Unter den sogenannten Presshäusern lagert der Wein in einem Labyrinth aus Kellern und Tunneln.

Das Weinviertel

Im Nordosten Niederösterreichs liegt das sogenannte Weinviertel. Zwischen den vielen Weinbergen, die ihm seinen Namen gegeben haben, erstrecken sich weite Getreide- und Rübenfelder. Der Boden und das milde Klima dort sind besonders günstig für den Weinbau.

In der zweiten Hälfte des 19. Jahrhunderts wurden fast alle Weinstöcke durch Schädlinge zerstört. Die österreichischen Weinbauern mussten wieder ganz von vorn anfangen. Heute werden im Weinviertel vor allem Weißweine angebaut.

Eine Besonderheit der jahrhundertealten Weinkultur im Weinviertel sind die „Kellergassen", wo der Wein gepresst wird. Unter den kleinen Häusern wird der Wein gelagert. Mehr als 1000 dieser alten Kellergassen gibt es in Niederösterreich.

2 Man sagt, Niederösterreich sei das „Kernland" Österreichs. Bedeutet das:

a Niederösterreich liegt in der Mitte des Landes?
b Hier siedelten die ersten Bewohner des Landes?
c In Niederösterreich haben die Weintrauben viele Kerne?

Modern und prähistorisch

Oberösterreich erstreckt sich zwischen dem Böhmerwald im Norden und dem Dachsteingebirge im Süden. Das viertgrößte Bundesland ist wirtschaftlich sehr stark. Die Landwirtschaft ist gut entwickelt und in den Städten Linz, Steyr und Wels konzentriert sich die Industrie, vor allem Stahl- und Chemiewerke.

Linz, die Hauptstadt von Oberösterreich, profitierte schon im Mittelalter von der günstigen Lage am Schnittpunkt europäischer Handelswege. Aber die Geschichte der Region reicht viel weiter zurück. Im Salzbergwerk bei Hallstatt fanden 1734 Bergmänner einen gut konservierten Leichnam. Dieser „Mann im Salz" gehörte zu einem Volk, das 800 bis 400 vor Christus hier lebte und arbeitete. Die Fundstelle hat einer ganzen Epoche der Menschheitsgeschichte ihren Namen gegeben, der Hallstattzeit.

Touristen zieht es vor allem in den Süden von Oberösterreich, ins Salzkammergut. Einer der bekanntesten Ferienorte ist St. Gilgen am Wolfgangsee.

Sommerfrische des Kaisers

Tausende von Touristen besichtigen jedes Jahr die Kaiservilla in dem Kurort Bad Ischl. Hier verbrachte der österreichische Kaiser und vorletzte Habsburger Franz Joseph I. seinen Sommerurlaub. In Bad Ischl lernte er auch die damals 15-jährige Elisabeth („Sisi") kennen. Zwei Jahre später heiratete der Kaiser seine Kaiserin, aber ganz anders als in den bekannten „Sissi"-Filmen war die echte Elisabeth eine exzentrische und ruhelose Frau. Sie flüchtete vor ihrem arbeitswütigen Ehemann und dem höfischen Leben auf Reisen. 1898 wurde sie von einem italienischen Anarchisten ermordet.

In der Kaiservilla erlebte der alte Franz Joseph den Beginn des Ersten Weltkrieges, aber nicht mehr das Ende des Habsburger Reichs. Er starb 1916.

Produziert(e) Ihr Land auch Autos, die international bekannt sind?

Wie lange dauerte ungefähr die Zeit der Habsburger? (Lesen Sie noch mal Seite 77!)

„Austro"-Autos

Der Steyr XII, ein erfolgreicher Bergwagen, wurde von dem Österreicher Ferdinand Porsche entwickelt. Ihre Namen hatten diese und andere österreichische Fahrzeuge von der Stadt Steyr und den Steyr-Automobilwerken (ab 1934 *Steyr-Daimler-Puch AG*).

Vorarlberg und Tirol

1 An welche Staaten grenzt das Bundesland Vorarlberg? Schauen Sie auf der Karte auf Seite 7 nach!

Vom Bodensee bergauf

Vorarlberg ist das westlichste und zweitkleinste Bundesland. (Wien ist kleiner, hat aber fast fünfmal so viele Einwohner.) Die Verbindungen zu den Nachbarländern – Deutschland, Liechtenstein und die Schweiz – waren schon immer von kultureller und wirtschaftlicher Bedeutung. 13 Straßen führen nach Deutschland und in die Schweiz, aber nur drei in das übrige Österreich. Auch die Sprache zeigt die Verwandtschaft: Die Vorarlberger sprechen alemannischen Dialekt.

Ungefähr zwei Drittel der Bevölkerung leben im Rheintal. Nach Wien und dem Wiener Umland ist Vorarlberg das am stärksten industrialisierte Bundesland. Trotzdem haben viele Berufstätige ihren Arbeitsplatz in der Schweiz: Die Löhne dort sind höher.

Vorarlberg, ein klassisches Urlaubsland, hat vieles zu bieten: südländische Atmosphäre am Bodensee und im Rheintal, waldreiche Mittelgebirge und über 3000 m hohe Berge an der Schweizer Grenze.

Vorarlbergs Hauptstadt Bregenz liegt direkt am Bodensee. Eine besondere Attraktion sind die Bregenzer Festspiele *und die alljährliche Opernaufführung auf der Bühne im See.*

Skigeschichte

Das Arlbergmassiv hat dem Land „vor dem Arlberg“ seinen Namen gegeben. Dort wurde 1890, nahe der Grenze zu Tirol, der Skipionier Hannes Schneider geboren. Als erster Skilehrer Österreichs entwickelte er die „Arlberg-Technik“, die Grundlage des modernen Skilaufs. Die Profis und Amateure von heute können über die damals übliche Kleidung und Fahrtechnik allerdings nur lächeln.

Die ersten Skibretter waren natürlich aus Holz und reine Handarbeit! Wer damit ins Tal sausen wollte, musste vor allem viel Mut beweisen. Um die Skier einzufetten, wurden früher gesalzene Heringe benutzt. Und die erste Sprungschanze war angeblich ein sechs Meter hoher Misthaufen!

Weibliche Skifahrer waren Anfang der 30er-Jahre noch selten.

2 Skifahren ist nur eine von vielen Wintersportarten. Nennen Sie einige andere!

3 Was würden Sie am liebsten im Winterurlaub in den Bergen machen?

Alle kennen Tirol

Nach dem Ersten Weltkrieg musste Österreich Südtirol an Italien abtreten. Seitdem besteht das Bundesland Tirol aus zwei Teilen, die durch hohe Berge voneinander getrennt sind. Das kleinere Osttirol hat deshalb eine engere Bindung an das Nachbarland Kärnten.

Tirol ist eines der beliebtesten Reiseziele in Europa. Keine andere Region in Österreich hat so viele Fremdenbetten, so viele Skilifte und Skipisten (ein Prozent der Landesfläche) und so viele Wanderwege in den Bergen (3500 km).

Die Brennerstraße durch Tirol ist seit der Römerzeit eine der wichtigsten Strecken über die Alpen. Der Transitverkehr bringt dem Land Profit, aber auch Lärm und Abgase. Umweltschützer wollen deshalb, dass ein Tunnel unter ganz Tirol gebaut wird. Diese ziemlich radikale Lösung wäre aber sehr teuer.

In der Altstadt von Innsbruck bewundern Touristen die prachtvollen Häuser und u. a. das Goldene Dachl. *Die Landeshauptstadt war zweimal Schauplatz der Olympischen Winterspiele.*

Der Mann im Eis

1991 wurde im Ötztal in Tirol genau an der Grenze zu Italien eine Gletschermumie entdeckt. Alter: 5300 Jahre! Nationalität: Österreicher oder Italiener? Inzwischen ist „Ötzi" im Museum von Bozen in Südtirol (Italien).

Wer war Andreas Hofer?

Plätze und Straßen tragen seinen Namen, Denkmäler und Ausstellungen erinnern an ihn: Andreas Hofer. Er ist der große Volksheld der Tiroler. Als Anführer der Freiheitskämpfer besiegte er 1809 am Berg Isel die Bayern und Franzosen und wurde für kurze Zeit Regent von Tirol. 1810 wurde er durch Verrat gefangen genommen und auf Befehl Napoleons erschossen. In der Hofkirche in Innsbruck ist er begraben.

Die Brennerautobahn mit der 190 Meter hohen und 820 Meter langen Europabrücke gilt als technische Meisterleistung.

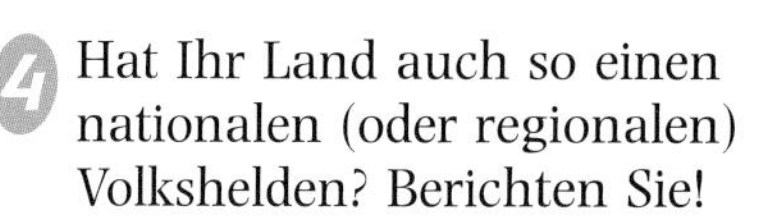

4 Hat Ihr Land auch so einen nationalen (oder regionalen) Volkshelden? Berichten Sie!

5 Wie finden Sie die Idee, Tirol zu untertunneln? Machen Sie Vorschläge, wie man das Transitproblem anders lösen könnte!

Salzburg und Kärnten

1 Die beiden Bundesländer haben auf den ersten (geografischen) Blick etwas gemeinsam. Was ist es? Ein zweiter, genauer Blick auf die Karte auf Seite 7 wird Ihnen helfen!

Das Land Salzburg

Salzburg ist nicht nur die Stadt, auch das Bundesland heißt so. Stadt und Land haben den Namen von den vielen Salzlagern, die jahrhundertelang Macht und Reichtum der Region sicherten. Der Abbau des „weißen Goldes" ist heute noch von wirtschaftlicher Bedeutung. Das Salzburger Land lebt aber auch von Landwirtschaft und Energiegewinnung (vor allem durch Wasserkraft) und natürlich vom Fremdenverkehr.

In der Europa-Sportregion um den Zeller See ist das Freizeitangebot für Sommer- und Winterurlauber riesig. Wer im Salzburger Land Ferien macht, kann auch den höchsten Berg Österreichs „bezwingen", ohne besonders sportlich zu sein. Auf den Großglockner (3798 m) führt eine Straße!

In Hallein kann man eines der großen Salzbergwerke Österreichs besichtigen und sogar eine Bootsfahrt auf dem unterirdischen Salzsee machen.

2 Welche Freizeit- und Sportaktivitäten gehören zum Angebot der Salzburger Ferienregionen?

Die Mozartstadt

Fast ein Drittel der Einwohner des Landes Salzburg lebt in der Hauptstadt Salzburg. Im Sommer ist die Stadt von Touristen überfüllt und alle besuchen zuerst das berühmteste Haus in der Altstadt. In der Getreidegasse 9 wurde 1756 Wolfgang Amadeus Mozart geboren. Der Komponist, der seine letzten zehn Lebensjahre in Wien verbrachte und von Salzburg nichts mehr wissen wollte, ist für die Stadt eine wahre Goldgrube. Mozart-Wochen, Mozart-Ausstellungen, die Festspiele, Mozartkugeln, Mozart-Kitsch und Souvenirs verkaufen sich gut.

Was Mozart wohl dazu sagen würde? Auch die kugelrunden Pralinen – aus Nougatschokolade mit einem Kern aus Marzipan – tragen seinen Namen!

Die Altstadt von Salzburg mit ihren mittelalterlichen Gassen und den barocken Kirchenplätzen gehört zu den besonders geschützten UNESCO-Objekten.

3 Was wissen Sie über das Leben und Werk des Musikers und Komponisten Mozart? Tragen Sie alle Informationen zusammen und schreiben Sie ein kurzes Porträt!

Land der Seen

Kärnten ist Österreichs südlichstes Bundesland und rundum von Bergen umgeben. In Kärnten gibt es besonders viele Seen, mehr als 1200. Für das „trinkbare", also sehr saubere Wasser in den etwa 200 Badeseen bekam das Land den Europäischen Umweltpreis. Wegen der geografischen Lage und des milden Klimas nennt man Kärnten auch den „Südbalkon der Alpen": Auch von den Bewohnern sagt man, dass sie eine mediterrane, weltoffene Lebensart haben.

Die slowenische Minderheit im Süden des Landes wünscht sich allerdings mehr Toleranz vonseiten der deutschsprachigen Bevölkerung. Zwischen den Volksgruppen gibt es immer wieder Konflikte.

Der Wörthersee ist Kärntens größter Badesee und ein beliebtes Urlaubsgebiet und Wassersportzentrum. Im Sommer wird das Wasser bis zu 28°C warm.

4 Welche Seen in Kärnten sind keine Badeseen? Was vermuten Sie?

Zwei Autoren aus Kärnten

Ingeborg Bachmann (1926–1973) ist in Klagenfurt geboren. Sie hat Gedichte, Erzählungen und Hörspiele geschrieben. Der höchste Preis, der auf dem Literatur-Wettbewerb in ihrer Heimatstadt vergeben wird, trägt ihren Namen.

Peter Handke, 1942 geboren, kommt aus einer Kleinbauernfamilie aus Kärnten und schreibt Dramen, Romane und auch Filmbücher wie z. B. das Drehbuch zu Wim Wenders Film *Der Himmel über Berlin*. In dem Buch *Wunschloses Unglück* beschreibt Handke das arbeitsreiche, unfreie und meistens freudlose Leben seiner Mutter.

Ingeborg Bachmann

Peter Handke

Treffpunkt der Literatur

Klagenfurt ist Kärntens Hauptstadt und touristischer Ausgangspunkt für Ausflüge nach Slowenien und Italien.

Einmal im Jahr ist Klagenfurt auch Schauplatz einer wichtigen literarischen Veranstaltung: Seit 1977 findet dort ein Wettbewerb für erzählende Prosa statt. Nicht alle Schriftsteller folgen der Einladung nach Klagenfurt, denn die Prozedur ist hart. Die Texte werden dem Publikum vorgelesen und die Autoren müssen sich eine öffentliche Sofortkritik gefallen lassen. Aber die Preise und Stipendien sind vor allem für jüngere, noch nicht so bekannte Schriftsteller eine große „Starthilfe".

5 Kennen Sie andere Schriftsteller aus Österreich? Oder Maler, Musiker, Schauspieler ...? Sammeln Sie Informationen im Kurs!

Steiermark und Burgenland

1 An welche Nachbarländer Österreichs grenzen die Bundesländer Steiermark und Burgenland?

Die grüne Mark

Die Steiermark im Südosten Österreichs ist das zweitgrößte Bundesland der Alpenrepublik. Die Hauptstadt Graz ist das kulturelle und wirtschaftliche Zentrum und profitiert von der Öffnung der Grenzen im Osten.

Größter Arbeitgeber im Land ist die Industrie. Die „eherne" (ehern = eisern) Mark ist ein Bergbauland. Auch ein Großteil der österreichischen Holz- und Papierstoffe wird hier produziert. In den abgelegenen Bergdörfern gibt es immer weniger Arbeitsmöglichkeiten. Oft bleiben dort nur die Alten zurück.

Die Steiermark ist ein grünes Land – mehr als siebzig Prozent sind mit Wald bedeckt – mit ganz verschiedenen Landschaftsformen. Auf den Gletschern im Nordwesten kann man sogar im Sommer Ski laufen. Auch im hügeligen Weinland im Süden der Steiermark macht man gerne Ferien.

In der Steiermark, in Piber, werden heute noch die schönen Lipizzanerpferde gezüchtet. Die besten Tiere werden in der Hofburg in Wien für die klassische Reitkunst ausgebildet.

Der Steireranzug war ursprünglich die Berufskleidung der Gämsenjäger in der Steiermark. Traditionalisten tragen den Steireranzug heute auch anstelle des normalen Straßenanzugs im Alltag.

Der Waldbauernbub

Peter Rosegger war der Sohn eines armen Bergbauern. Er hat den größten Teil seines Lebens (1843–1918) in der Obersteiermark verbracht. Mit seinen Erzählungen vom einfachen Leben der Bauern wurde er bald ein beliebter Volksschriftsteller. *Als ich noch ein Waldbauernbub war* heißt sein bekanntestes Buch. In seinem liebevoll restaurierten Geburtshaus fühlt sich der Besucher in die Atmosphäre seiner Geschichten zurückversetzt.

2 Peter Rosegger hat nie eine reguläre Schule besucht. Er war Autodidakt. Erklären Sie, was dieses Fremdwort bedeutet!

Grenzland im Osten

Das Burgenland war bis in die Gegenwart hart umkämpftes Grenzland. Die vielen Burgen und Festungen sollten vor den Angriffen der Völker aus dem Osten schützen. Erst 1921 kam das Burgenland als deutschsprachiges Gebiet Westungarns zu Österreich.

Im Norden beginnt die ebene Puszta-Landschaft, die bis weit nach Ungarn reicht. Im Süden ist das Land hügelig und waldreich. In dem warmen Klima wachsen gute Weine und „exotische" Gemüse- und Obstsorten wie Auberginen, Paprika und Feigen.

Von der Landwirtschaft können die Burgenländer aber nicht leben. Bis in die 50er-Jahre mussten viele Bewohner der Region auswandern, vor allem in die USA und nach Kanada. Heute „wandern" viele arbeitsfähige Männer nach Wien und sind nur am Wochenende zu Hause bei ihren Familien.

Der Neusiedler See im Burgenland ist einmalig in Mitteleuropa. Er ist nur ein bis zwei Meter tief und bietet Lebensraum für viele geschützte Vogelarten und Wasserpflanzen.

3 Seit wann gehört das Burgenland zu Österreich?

Im 17. und 18. Jahrhundert, zur Zeit der Fürsten Esterházy, war Eisenstadt das geistige und kulturelle Zentrum Westungarns. Es ist jetzt die kleinste Landeshauptstadt Österreichs.

Joseph Haydn

Fast 30 Jahre lang war der Komponist Joseph Haydn (1732–1809) Kapellmeister am Hof der Fürsten Esterházy in Eisenstadt. Richtig bekannt wurde der einstige Wiener Sängerknabe erst ziemlich spät. Auf seinen Konzertreisen nach London 1790 und 1794 wurde er begeistert gefeiert. Sein wohl bekanntestes Werk ist das Oratorium *Die Schöpfung*. Auch die Melodie der deutschen Nationalhymne stammt von Haydn.

4 Wissen Sie, wer die Melodie der Nationalhymne Ihres Landes komponiert hat?

Schweiz aktuell

1 Das Bild, das Ausländer von der Schweiz haben, ist oft von Klischees bestimmt. Welche könnten das sein?

2 Mit welchen anderen Staaten hat die Schweiz gemeinsame Grenzen?

Mitten in Europa

Die Schweiz liegt mitten in Europa, aber sie unterscheidet sich sehr von ihren Nachbarn. Die Schweiz ist ein Land der Vielfalt und der Gegensätze. In der Natur wechseln Berge – gut die Hälfte des Landes liegt über 1000 m hoch – und Täler, Hügel und Ebenen. Nur ca. fünf Prozent der gesamten Fläche der Schweiz sind bewohnt. Auch die Kultur und die Mentalität der Menschen in den einzelnen Regionen sind sehr unterschiedlich.

Eigentlich ist die Schweiz gar kein „normaler" Nationalstaat. In dem roten Pass mit dem weißen Kreuz steht „Schweizerische Eidgenossenschaft" (auf Lateinisch: Confoederatio Helvetica). Die Konföderation besteht aus 23 Kantonen und 3 Halbkantonen, die alle ein eigenes Parlament und sehr viele Rechte haben. Die meisten Schweizer fühlen sich in erster Linie ihrem Kanton und ihrer Heimatgemeinde zugehörig.

Das Matterhorn lockt mit 4477m Bergsteiger aus aller Welt an.

3 In der Schweiz sagt man zu der Hauptstadt „Bundesstadt". Wie heißt sie? Liegt sie im deutsch- oder im französischsprachigen Teil des Landes?

Mehrsprachige Schweiz

Offiziell hat die Schweiz vier Landessprachen, aber dazu kommen zahlreiche Dialekte. In der deutschsprachigen Schweiz wird Hochdeutsch fast nur als Schriftsprache gebraucht. Gesprochen wird Schwyzerdütsch.

Die Bewohner der Westschweiz sprechen zwar Französisch, aber etwas anders als in Paris. Einige französische Wörter gehören auch zum festen Wortschatz der Deutschschweizer.

Das Tessin südlich der Alpen ist der italienische Kanton der Schweiz; Landessprache, Landschaft und Lebensweise bezeugen dies.

In Teilen des Kantons Graubünden wird die vierte Nationalsprache der Schweiz gesprochen: Rätoromanisch. Weniger als ein Prozent der Schweizer benutzen heute noch diese seltene Sprache. Sie entstand aus einer Vermischung des Lateins der Römer mit der Sprache der einheimischen Helveter.

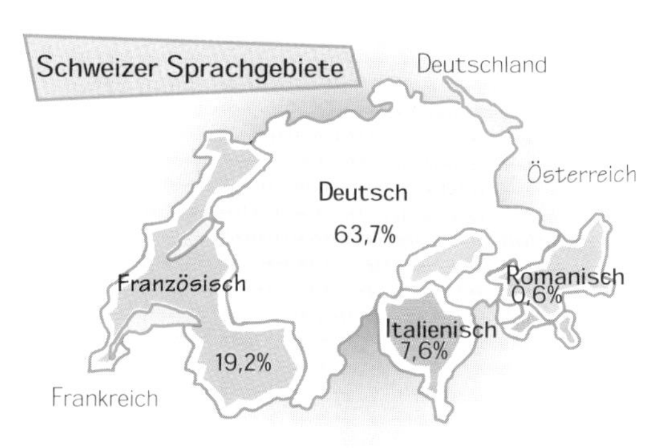

Die kulturellen und sprachlichen Unterschiede schaffen Grenzen innerhalb des Landes. Sie bieten aber auch die Chance zum Austausch.

4 Wörter wie *Coiffeur*, *Apéro* oder *merci vielmal* gehören zur Alltagssprache der Deutschschweizer. Übersetzen Sie – mit Hilfe eines Wörterbuchs – ins Deutsche!

Land der Tunnel

Unter den Schweizer Bergen laufen ungefähr 380 Tunnel für die Bahn und ebenso viele für Autostraßen. Die genaue Zahl der „geheimen" Tunnel ist nicht bekannt: sie gehören zu den vielen unterirdischen Festungen und Schutzanlagen des Militärs.

Wege über die Berge gab und gibt es immer, aber die ersten Tunnel durch die Berge bauten Pioniere Ende des 19. Jahrhunderts. Der ca. 15 km lange Eisenbahntunnel unter dem Gotthard war 1882 fertig. Der Bau dauerte zehn Jahre. Noch heute fahren hier rund 250 Züge täglich durch.

Auch das Wasser der Stauseen in den Bergen läuft durch Tunnel. 59 Prozent der Elektrizität in der Schweiz werden aus Wasserkraft gewonnen. Das Land ist durchlöchert wie ein Schweizer Käse!

Markenzeichen CH

Die Schweiz ist ein Kleinstaat und hat kaum Rohstoffe, aber ihre Wirtschaft ist industriell hoch entwickelt und sehr effektiv. Spezialitäten aus Schweizer Produktion sind nicht nur Schokolade und Uhren, sondern Pharmazeutika, Spezialmaschinen aller Art und Dienstleistungen im Finanzbereich.

Die Herstellung von Uhren hat – wie auch die von Schokolade – ihren Ursprung in der französischsprachigen Schweiz. Die Uhrenindustrie entwickelte sich im 19. Jahrhundert zu einem wichtigen Wirtschaftszweig. Schweizer Uhren sind für ihre Technik und ihr Design in aller Welt berühmt. Im Angebot sind Luxusuhren wie die von *Rolex* und *Piaget* oder preiswerte *Swatch*-Uhren (*Swiss Watch*). Die Uhrenindustrie verkauft einen Großteil ihrer Produktion ins Ausland.

5 Welche Schweizer Uhrenfirma sponserte 1999 den ersten Rundflug um die Welt im Heissluftballon?
a) *Rolex*, **b)** *Breitling*, **c)** *Swatch*?

Das Schweizer Offiziersmesser ist weltberühmt. Aus dem ersten Typ des Jahres 1891 haben sich bis heute ca. 350 Varianten entwickelt – für Pfadfinder, Raumfahrer, Golfspieler, Inline-Skater, Damenhandtaschen…

Schokoladenkonsum pro Kopf und Jahr weltweit:

Nr. 1	die **Schweizer** mit	**10,18** Kilo
Nr. 2	die **Deutschen** mit	**10,12** Kilo
Nr. 3	die **Österreicher** mit	**9,52** Kilo

Jahresverbrauch

6 Welche Schweizer Produkte sind in Ihrem Land bekannt (und zu kaufen)?

„Historische" Uhren wie am Zytgloggeturm in Bern sind in der Schweiz verbreitet.

Von Schwyz zur Schweiz

1 Die Schweizer sind Eidgenossen. Was bedeutet das Wort eigentlich?

Die Eidgenossen

Bis heute findet man in den Kantonen der frühen Eidgenossenschaft Traditionen der Gründungszeit wie z. B. die öffentlichen Wahlversammlungen unter freiem Himmel.

Die Schweizerische Eidgenossenschaft ist über 700 Jahre alt. Im Jahre 1291 schlossen sich die drei Waldgemeinden Uri, Schwyz und Unterwalden zum „ewigen Bund" zusammen. Sie sind die Urkantone; das Wort Schweiz kommt von Schwyz. Mitte des 14. Jahrhunderts wurden auch Luzern, Zürich, Glarus, Zug und Bern Mitglieder des Bundes. Die „acht alten Orte" bildeten die Keimzelle des späteren Einheitsstaates.

Im Laufe der Jahrhunderte bekamen die kleinen Staaten der Eidgenossenschaft immer mehr Unabhängigkeit. Erst 1848 wurde die Schweiz ein einheitlicher Staat mit einer Bundesverfassung und einem vom Volk gewählten Parlament.

2 Wie verliefen die liberalen Revolutionen in Deutschland und Österreich? Lesen Sie noch mal Seite 36!

Wilhelm Tell

Nicht ein Schweizer, sondern ein Deutscher hat das „Nationalstück" der Schweizer geschrieben: den *Wilhelm Tell* (1804). Friedrich Schiller hat die Figuren in seinem Drama erfunden oder aus alten Geschichten übernommen. Die Legende: Die fremden Herrscher zwingen Tell einen Apfel vom Kopf seines Sohnes zu schießen. Tell ermordet Gessler, den verhassten Habsburger, und gibt das Signal zum Befreiungskampf.

Auch die berühmte Szene auf der „Rütliwiese" ist nicht wirklich so passiert. In Schillers Drama treffen sich dort die Landleute der Urkantone, um den Eid des neuen Bundes zu schwören:

Wir wollen sein ein einzig Volk von Brüdern,
In keiner Not uns trennen und Gefahr.
Wir wollen frei sein, wie die Väter waren,
eher den Tod, als in der Knechtschaft leben.
Wir wollen trauen auf den höchsten Gott
Und uns nicht fürchten vor der Macht der Menschen.

Ort der Wilhelm-Tell-Legende ist die Gegend um den Vierwaldstätter See in der Zentralschweiz.

3 Gibt es in Ihrem Land einen Nationalhelden oder -heldin? Ist das Wahrheit oder nur Legende?

Neutral, aber bewaffnet

Die Schweiz ist zwar neutral, aber bewaffnet. Ein Schweizer Bürger ist von seinem 20. bis zum 50. Lebensjahr Soldat und muss jedes Jahr an Übungen teilnehmen. Die persönliche Ausrüstung – Schutzmaske, Munition und Sturmgewehr – nimmt er danach mit nach Hause!

Die neutrale, defensive Position der Schweiz hat ihre Anfänge bereits im 17. Jahrhundert. Mit dem Wiener Kongress (1815) wurde sie völkerrechtlich akzeptiert.

Die Schweiz hat sich an den beiden Weltkriegen nicht beteiligt. Im Zweiten Weltkrieg war sie zusammen mit Schweden das einzige neutrale Land in Europa.

In der neutralen Schweiz haben immer schon politische Flüchtlinge aus anderen Ländern Asyl gefunden. Garibaldi, Lenin, Rosa Luxemburg und viele andere konnten hier eine Zeit lang leben und arbeiten.

Die Schweizergarde

Zwischen dem 15. und dem 19. Jahrhundert traten Hunderttausende Schweizer in den Militärdienst fremder Herrscher. Sie wurden „Reisläufer" genannt und kamen vor allem aus den armen Gebirgskantonen. Von diesen Schweizergarden existiert heute nur noch der weltbekannte Wachdienst des Papstes im Vatikan.

4 Wer war Rosa Luxemburg? Schlagen Sie auf Seite 37 nach!

Die Berge rufen

Schon im 18. Jahrhundert kamen die ersten Touristen in die Schweiz. Sie begeisterten sich für die Naturschönheiten und das freie, einfache Leben der Bauern und Hirten. Vor allem englische Alpinisten bestiegen die Gipfel der Berge. Ebenfalls ein Engländer, Thomas Cook, veranstaltete 1863 die erste Rundreise durch die Schweiz. Um die Jahrhundertwende war die Schweiz weltweit das beliebteste Reiseland.

Der Glacier-Express *braucht – wie in der guten, alten Zeit – für die Fahrt von St. Moritz nach Zermatt über sieben Stunden.*

5 Heute ist die Schweiz nicht mehr die Nummer 1 im Welttourismus. Welche Gründe könnte das haben?

6 Wie viele Kilometer lang ist ungefähr die Strecke, die der *Glacier-Express* befährt?

7 St. Moritz: Was wissen Sie über diesen Schweizer Gebirgsort?

Die großen Städte

1 Wie viele Leute leben in den fünf Städten Zürich, Basel, Genf, Bern und Lausanne: **a)** 20% der Bevölkerung, **b)** ein Drittel, **c)** die Hälfte?

Die Bundesstadt

Bern ist seit 1848 der Regierungssitz der Schweiz. Bern ist Bundesstadt, nicht Hauptstadt. Denn das „Prinzip Schweiz" basiert darauf kein Haupt zu haben, sondern viele Köpfe. Die Schweizer Regierung ist der sieben-köpfige Bundesrat; der Bundespräsident wird jährlich ausgetauscht.

In früherer Zeit war Bern das Zentrum eines großen Herrschaftsgebiets, das ungefähr die vier heutigen Kantone Bern, Waadt und Aargau umfasste. Der heutige Kanton Bern liegt nur noch auf der deutschen Seite der Sprachgrenze. Der Nachbarkanton Jura ist ganz „jung". Er wurde erst 1979 von Bern abgetrennt.

Das Bundeshaus in Bern ist der Sitz der Landesväter.

Blick auf Zürich, den Zürcher See und die Limmat

Geld und Gold

Zürich ist mit rund 350 000 Einwohnern die größte Stadt der Schweiz. Sie ist eine Stadt der Finanzen, das Zentrum der Banken und Versicherungen. Das berühmte Bankgeheimnis hat Mächtige und Prominente aus aller Welt dazu gebracht, ihr nicht immer „sauberes" Geld in der Schweiz zu deponieren.

Die Limmatstadt ist aber auch ein kulturelles Zentrum. Das Zürcher Schauspielhaus hat seit den 30er-Jahren, als viele Theaterleute aus Deutschland emigrieren mussten, einen internationalen Ruf. In Zürich kann man über 20 Museen besuchen und die Eidgenössische Technische Hochschule (ETH) bildet Wissenschaftler von Weltrang aus.

„Züri brännt"

Das war der Slogan der rebellischen Schweizer Jugendlichen Anfang der 80er-Jahre in Zürich. Auch in Lausanne („Lausanne bouge") galt ihr Protest der geordneten, (selbst)zufriedenen Schweiz.

Das Tor zur Welt

Das Schweizer Tor zur Welt: So wird die Stadt Basel genannt, denn sie liegt am Dreiländereck Frankreich-Deutschland-Schweiz. Basel hat auch drei Bahnhöfe, einen französischen, einen deutschen, einen Schweizer. Und weil die Stadt zu wenig Platz hat, liegt der Flughafen sogar auf französischem Gebiet. Basel besitzt auch einen bedeutenden Hafen und die Schweiz – unter den Ländern ohne Meeresküste – die größte Hochseeflotte.

Kein Wunder, dass mehrere weltweit tätige Konzerne hier ihren Sitz haben. Der wichtigste Industriezweig ist die Chemie: Fast ein Drittel aller Beschäftigten der Region arbeitet in dieser Branche. Etwa die Hälfte der chemischen Produktion entfällt auf die Herstellung von Medikamenten.

Basel ist seit 1460 Universitätsstadt und heute mit über 6000 Studenten eine junge, lebendige Stadt.

2 Wie kommen die Schiffe von Basel zum Meer?

3 Wie heißt die Fasnacht im Rheinland? Wie wird dort gefeiert? Auf Seite 17 finden Sie etwas zum Thema!

Basler Fasnacht

Die Basler Fasnacht ist eine besondere kulturelle Attraktion. Sie beginnt am Montag nach Aschermittwoch. Um vier Uhr morgens sind die Leute schon auf den Beinen. Man hört dann überall das Signal zum Losmarschieren, den *Morgestraich*. Alle Lichter gehen aus, man sieht nur noch die Fasnachtslaternen und die fantastischen Masken und Kostüme. Dazu das Trommeln und Pfeifen: das ist irgendwie unheimlich und gleichzeitig wunderschön.

Die Weltstadt

Genf (oder Genève) ist nicht nur – neben Lausanne – das Zentrum der französischen Schweiz, sondern auch so etwas wie die kleinste Weltstadt. Wichtige UNO-Einrichtungen wie die Weltgesundheitsorganisation (WHO) sind hier zu Hause. Übrigens ist die neutrale Schweiz selbst kein Mitglied der UNO, nur in Unterorganisationen ist sie vertreten. In Genf gibt es 118 Botschaften (mehr als in Bern) und über 200 internationale Organisationen wie das Internationale Rote Kreuz.

Im 16. Jahrhundert machte der Reformator Jean Calvin aus Genf das Zentrum des Weltprotestantismus. Und hier entwickelte sich zu dieser Zeit auch das schweizerische Uhrenhandwerk.

Das rote Kreuz

Rotes Kreuz auf weißem Grund: Das Schweizer Kreuz in gewechselten Farben ist ein internationales Schutzzeichen geworden. 1864 wurde diese Hilfsorganisation von dem Schweizer Henri Dunant gegründet. Er bekam dafür 1901 den Friedensnobelpreis.

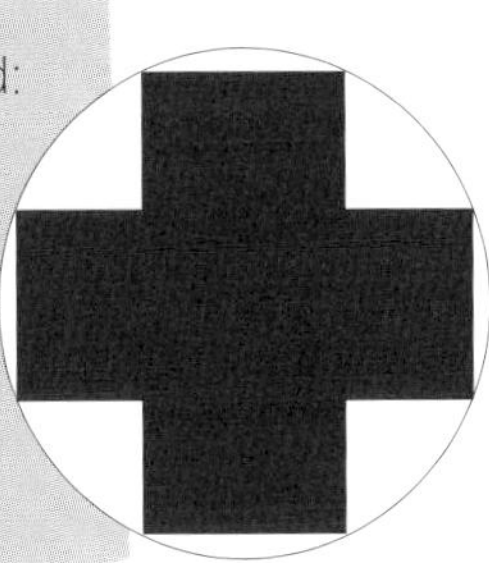

4 Ist die Mehrheit der Schweizer heute protestantisch oder katholisch? Die Angaben finden Sie auf Seite 16!

5 Welche internationale Organisation hat ihren Sitz in Lausanne?

Schöne Landschaften

1 Angeblich gibt es über 50 Regionen in der Welt, die die Schweiz als Teil ihres Namens führen wie in Deutschland die *Sächsische Schweiz* oder die *Fränkische Schweiz*. Was ist wohl typisch für diese Landschaften/Regionen?

2 Gibt es in Ihrem Land auch eine „Schweiz"?

Das Berner Oberland

Das Berner Oberland im südlichen Teil des Kantons Bern ist ein Zentrum des Alpentourismus. Interlaken ist der älteste Fremdenverkehrsort des Landes.

Im Kanton Bern sind noch viele alte bäurische Traditionen lebendig. Eine besondere Attraktion auf den zahlreichen Volksfesten sind die archaischen Sportdisziplinen (z. B. das „Schwingen", eine Art Ringkampf, oder das „Steinstoßen").

Im Beiprogramm treten außerdem Fahnenschwinger, Alphornbläser und Jodler auf. An vielen Orten ist auch der Almauftrieb der Kühe im Frühjahr und der Abtrieb im Herbst ein Volksfest. Dann werden die alten Trachten getragen und die Kühe festlich geschmückt.

Die drei Berggipfel von Eiger (3970 m), Mönch (4099 m) und Jungfrau (4158 m) bieten mit ihren Gletschern gute Wintersportmöglichkeiten das ganze Jahr. Der Aletschgletscher über dem Jungfraujoch ist der größte Gletscher Europas.

3 Aus welchem Land kamen die ersten Alpinisten in die Schweiz?

An Rhein und Bodensee

Die beiden Kantone Schaffhausen und Thurgau werden landschaftlich weniger durch die Berge als durch ihre Lage am Wasser geprägt. Das flache Land ist ideal zum Wandern und Radfahren und der Bodensee ist ein beliebtes Reise- und Ausflugsziel. In den Gasthäusern kann man Fischspezialitäten essen; Obst- und Weinbau bestimmen hier die Landwirtschaft.

Die Landwirtschaft wird vom Staat finanziell unterstützt. Allen Schweizern ist klar, dass die Bauern nicht nur Lebensmittel produzieren. Sie pflegen auch die Landschaft und schützen die Natur und sorgen so dafür, dass die Grundlage des Tourismus erhalten bleibt.

Der Rhein ändert auf seinem langen Weg oft den Charakter. Der Rheinfall bei Schaffhausen ist Mitteleuropas mächtigster Wasserfall.

4 Verfolgen Sie auf der Karte auf Seite 7 den Weg des Flusses Rhein! In welchem Schweizer Kanton entsteht er? Wo mündet er in die Nordsee?

Käse und mehr

Die Ostschweiz bietet Vielfalt in Bezug auf die Landschaft und die Geschichte. Der Kanton St. Gallen entstand 1803 unter Druck Napoleons aus zwölf Kleinstaaten.

Mitten im Kanton St. Gallen liegt der Kanton Appenzell. Wie die St. Gallener sagen: „als Kuhdreck in einer grünen Wiese“, oder wie die Appenzeller sagen: „als blitzblankes Fünffrankenstück in einem Kuhdreck“. Und der Kanton Appenzell ist noch einmal geteilt in zwei Halbkantone, einen katholischen und einen protestantischen. Auch hier fühlt sich jeder Halbkanton dem anderen überlegen. Im katholischen Teil haben die Frauen übrigens erst seit 1991 Stimmrecht. Für die Gesamtschweiz, den Bund, existiert das Frauenwahlrecht „schon“ seit 1971. Aber erst 1984 wurde erstmals eine Frau Bundesrat, also Regierungsmitglied.

Appenzell ist eine der bekanntesten Käseregionen der Schweiz. Über drei Viertel der von Schweizer Kühen produzierten Milch wird zu Käse verarbeitet.

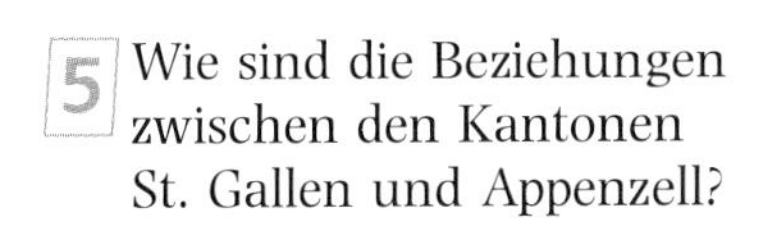

5 Wie sind die Beziehungen zwischen den Kantonen St. Gallen und Appenzell?

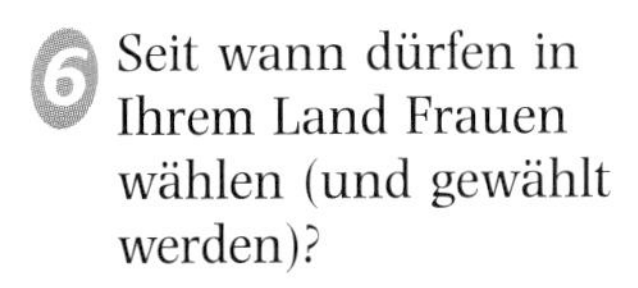

6 Seit wann dürfen in Ihrem Land Frauen wählen (und gewählt werden)?

7 Kennen Sie andere Käsesorten aus der Schweiz?

Alpen-Kleinstaat

Das kleine Fürstentum Liechtenstein mit seiner Hauptstadt Vaduz zwischen der Schweiz und Österreich existiert seit 1719. Seit 1924 gilt in Liechtenstein die Schweizer Währung und das Land steht unter Schweizer Militärschutz.

Amtssprache ist Deutsch, aber die Einheimischen sprechen genauso wie die Deutschschweizer alemannischen Dialekt. Von den rund 27000 Einwohnern des Kleinstaates sind fast 10000 Ausländer, vor allem Deutsche, Österreicher und Schweizer, die Liechtenstein als Steuerparadies nutzen.

Die Heidi-Geschichte spielt rund um Maienfeld in Graubünden.

Im Heidiland

Graubünden ist der Kanton der 150 Täler und auch eine beliebte Ferienregion. In einzelnen Tälern wird Italienisch gesprochen, in anderen ist das Rätoromanische die Sprache der Einheimischen. Die gebirgige Landschaft war und ist Rückzugsgebiet für seltene Pflanzen, Tiere und Menschen.

Der Kontrast zwischen dem einsamen Leben in den Bergen und der städtischen Zivilisation ist ein wichtiges Motiv in der Geschichte von *Heidi*, weltbekannter Mädchengestalt des Bestsellers der Kinderliteratur von Johanna Spyri.

Länder und Leute

1 Haben Sie den Überblick?

Ergänzen Sie die Namen wichtiger Orte und Landschaften! Ein Blick auf die Seite 7 kann Ihnen helfen.

1 Hauptstadt von Österreich
2 Bundesstadt der Schweiz
3 Hauptstadt von Deutschland
4 Geburtsstadt von Mozart
5 Stadt des Geldes in der Schweiz
6 Kultur- und Filmstadt im Süden von Deutschland
7 Fluss in der Schweiz und in Deutschland
8 Fluss in Deutschland und Österreich
9 Fluss in Deutschland, verbindet Dresden und Hamburg
10 Meer im Norden von Deutschland
11 See zwischen Österreich, der Schweiz und Deutschland
12 Gebirge in Österreich, der Schweiz und Deutschland

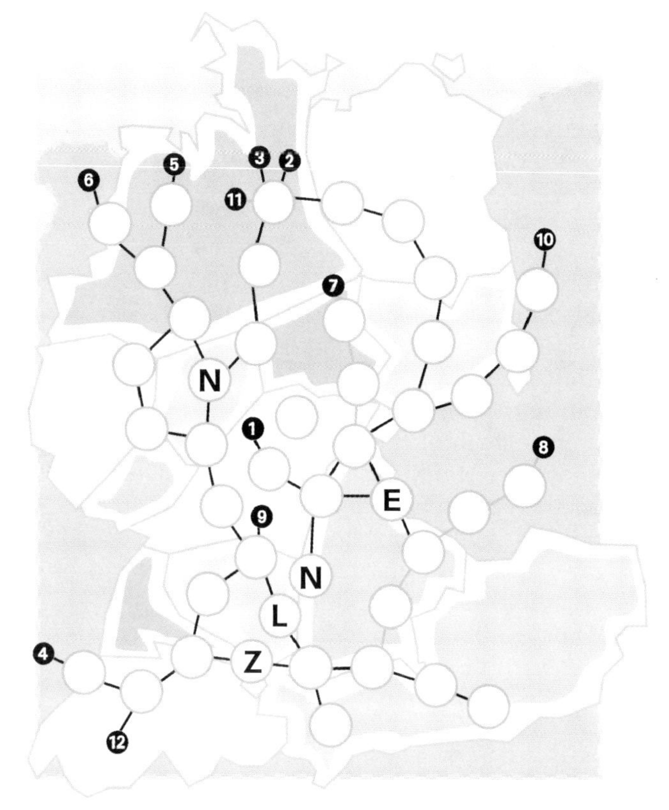

Achtung: Im Kreuzworträtsel gibt es keine Umlaute! Man schreibt Ü als UE.

2 Ergänzen Sie!

Sie hören den Beginn der Sendung *Dreiländereck*. Der Moderator stellt drei Gäste vor. Er befragt sie über ihren Wohnort und über ihre europäischen Nachbarn.

Name Ort/Stadt (Altdorf, Manzell, Wien) Land (Deutschland, Österreich, Schweiz) Beruf (Fotografin, Hotelier, Obstbauer) Interesse an Europa (groß, gering) Reisen in Europa (nie, manchmal, oft)	**Frau Keller**	**Herr Schmidt**	**Frau Geiger**

3 Machen Sie Sätze!

Verbinden Sie die Angaben aus Übung 2 zu Sätzen.
Beispiel:
Frau Keller kommt aus Altdorf. Altdorf ist eine Stadt in der Schweiz. Frau Keller ist Hotelier und ihr Interesse für Europa ist groß. Sie selbst reist manchmal in andere Länder.
Herr Schmidt...
Frau Geiger...
Ich...

4 Ergänzen Sie!

Sie möchten Urlaub machen. Suchen Sie sich ein Ziel in Deutschland, Österreich oder in der Schweiz.

Was brauchen Sie? Was möchten Sie wissen? Tragen Sie Ihre Wünsche in die Checkliste ein.

Checkliste: Urlaub		
Ort		im Schwarzwald, in Genf, an der Donau, …
Zeitraum		im August, für vierzehn Tage, übers Wochenende, ein paar Tage, am liebsten für immer, …
Personenzahl		allein, zu zweit, zu dritt, zu viert, …
Komfort		Luxushotel, Jugendherberge, Appartement, Ferienhaus, …
Zimmer		Einzelzimmer, Doppelzimmer, mit Dusche, mit Bad, …
Verpflegung		Frühstück, Halbpension, Vollpension
Sport		Wandern, Schwimmen, Tennis, Skifahren, ...
Kultur		Kino, Disko, Museum, ...

5 Schreiben Sie einen Brief!

Schreiben Sie an die Touristeninformation des Ortes einen Brief oder eine E-Mail.

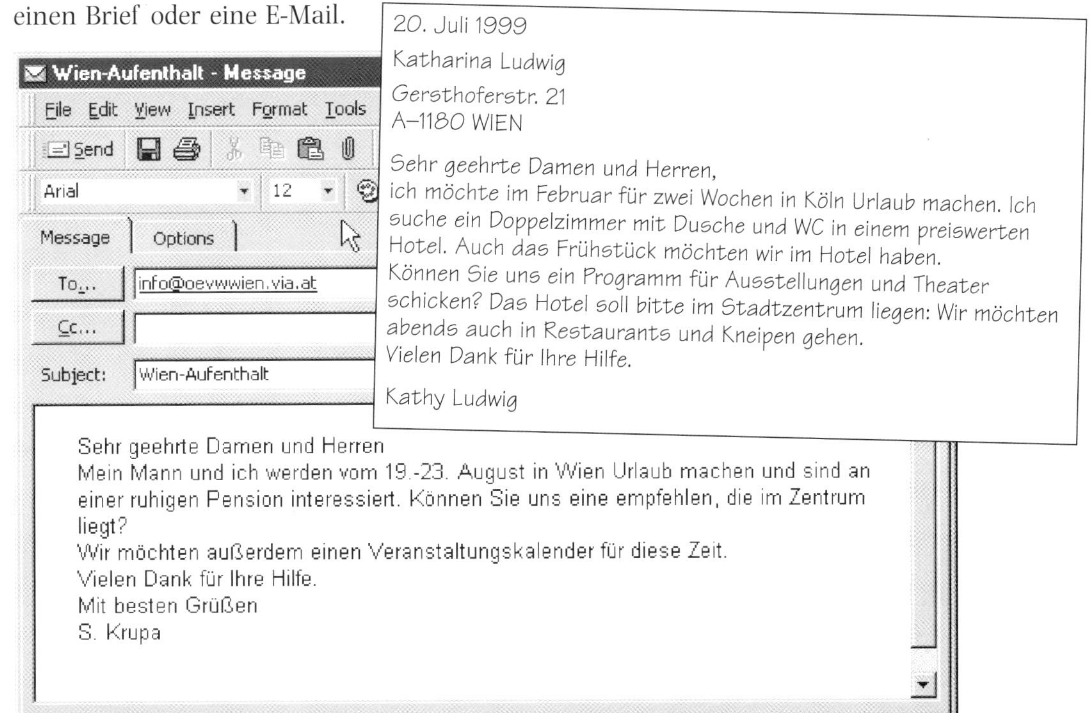

20. Juli 1999

Katharina Ludwig
Gersthoferstr. 21
A–1180 WIEN

Sehr geehrte Damen und Herren,
ich möchte im Februar für zwei Wochen in Köln Urlaub machen. Ich suche ein Doppelzimmer mit Dusche und WC in einem preiswerten Hotel. Auch das Frühstück möchten wir im Hotel haben. Können Sie uns ein Programm für Ausstellungen und Theater schicken? Das Hotel soll bitte im Stadtzentrum liegen: Wir möchten abends auch in Restaurants und Kneipen gehen.
Vielen Dank für Ihre Hilfe.

Kathy Ludwig

Wien-Aufenthalt - Message

File Edit View Insert Format Tools

Send

Arial 12

Message Options

To... info@oevwwien.via.at

Cc...

Subject: Wien-Aufenthalt

Sehr geehrte Damen und Herren
Mein Mann und ich werden vom 19.-23. August in Wien Urlaub machen und sind an einer ruhigen Pension interessiert. Können Sie uns eine empfehlen, die im Zentrum liegt?
Wir möchten außerdem einen Veranstaltungskalender für diese Zeit.
Vielen Dank für Ihre Hilfe.
Mit besten Grüßen
S. Krupa

Wie wohnen die Leute?

1 Was passt zusammen?

1 Für die Deutschen spielen bei der Wohnungssuche folgende Punkte – der Wichtigkeit nach geordnet – eine Rolle:

1 Miethöhe
2 Nähe zum Arbeitsplatz
3 Verkehrsberuhigung
4 Kinderfreundlichkeit

Ordnen Sie den folgenden Personen (A–D) das passende Stichwort (1–4) zu.

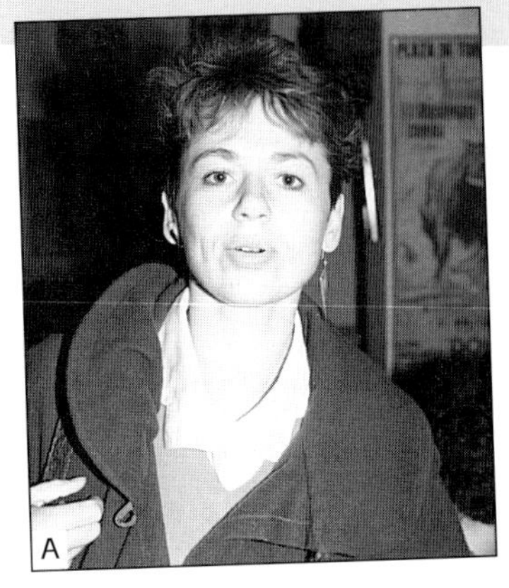

A

***Jutta Christ**, Angestellte, 34 Jahre alt: „Die Straße hier ist nicht besonders schön. Doch man gewöhnt sich daran, Dafür bin ich in einer Viertelstunde im Büro. Was ich da an Zeit spare jeden Tag!"*

B

***Frau Brand mit Tochter Kerstin**, 7 Jahre alt: „Sehen Sie, hier im Wohnblock leben viele Familien mit Kindern. Und die Grünanlagen sind direkt am Haus, es gibt Spielplätze und ein Fußballfeld. Wenn es regnet, treffen sich die Kinder mal hier, mal dort in einer Wohnung."*

C

***Jan Hesse**, Student, Anfang 20: „Ich verdiene zwar wenig Geld, nur ab und zu durch einen Job. Aber zu Hause bei meinen Eltern, das ging nicht mehr. Ein Zimmer reicht mir. Und die 165.- € pro Monat kriege ich zusammen."*

D

***Familie Kundke**, zwei Kinder: „Wir haben zwei Jahre lang dafür gekämpft. Jetzt ist die Straße eine Tempo-30-Zone. Man kann nachts bei offenem Fenster schlafen, und im Sommer wird die Straße ein zweites Wohnzimmer, wo man Nachbarn und Freunde trifft."*

2 Verbinden Sie die Satzteile!

Verbinden Sie die Personen mit ihren Wohnkriterien.

1 Frau Christ ist froh,
2 Frau Brand findet es gut,
3 Jan Hesse achtet darauf,
4 Familie Kundke hat dafür gesorgt,

a dass die Kinder Raum zum Spielen haben.
b dass der Autoverkehr eingeschränkt ist.
c dass der Weg zur Arbeit kurz ist.
d dass die Wohnung billig ist.

3 Diskutieren Sie!

Was ist für Sie wichtig, wenn Sie eine Wohnung suchen? Befragen Sie andere in der Gruppe!

4 Lesen Sie die Anzeigen!

Lesen Sie die Wohnungsanzeigen laut. Beachten Sie dabei die Bedeutung der Abkürzungen:

NK	Nebenkosten
ca.	circa (ungefähr)
inkl.	inklusive (einschließlich)
zzgl.	zuzüglich
WC	Toilette
OG	Obergeschoss (Etage)

1 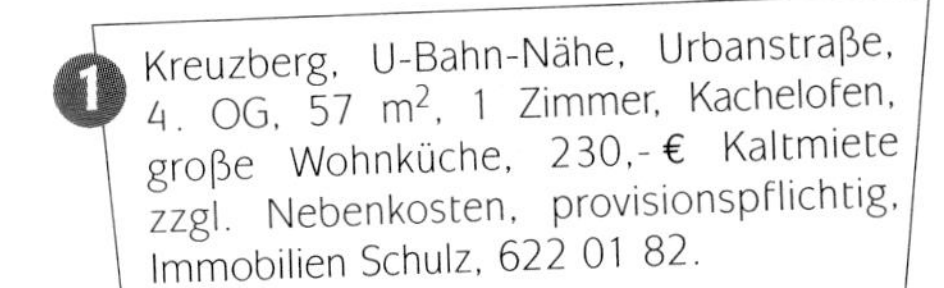

Kreuzberg, U-Bahn-Nähe, Urbanstraße, 4. OG, 57 m², 1 Zimmer, Kachelofen, große Wohnküche, 230,- € Kaltmiete zzgl. Nebenkosten, provisionspflichtig, Immobilien Schulz, 622 01 82.

2 Kreuzberg, Altbau, Fidicinstr. 83, 1 1/2 Zimmer, ca. 36 m² heller Seitenflügel, 3. OG, Duschbad, Diele, Küche mit Herd und Spüle, Zentralheizung, leicht renovierungsbedürftig, Warmmiete: 300 € inkl. Nebenkosten, 232 82 11.

3 Friedrichshain, Parklage, sehr helle 1½ Zimmer, ca. 45 m², 470 € inkl. NK, provisionsfrei, Einbauküche, Parkett, Balkon, Besichtigung Montag ab 17.00 Uhr, Friedenstraße 71, 4. Etage, Tel: 217 193 54.

4 Friedrichshain, 1 Zimmer, ca. 41 m², modernisierter Altbau, Küche, Dusche, WC, Kabel, 310 €, Kaution, Provision, Tel: 504 221 066.

5 Erstbezug in Tiergarten, großzügige 1-Zimmerwohnung, 43 m², 6.OG, moderne Einbauküche, Fliesenbad, Fernheizung, Kabel-TV, Kaltmiete 380,- €, keine Provision, Tel: 433 2992.

5 Ergänzen Sie...

... in der Tabelle die Angaben zu den fünf Wohnungen.

Wohnung	Größe in m²	Etage	Mietpreis €	Bad/ Dusche	Heizung	Provision/ Kaution
1	57	4. Etage	230		Kachelofen	Provision
2						
3			470			
4			310			
5			380			

6 Über welche Wohnung reden sie?

Sie hören das Telefongespräch zwischen einem Interessenten und der Hausverwaltung. (Sehen Sie sich die Tabelle in Aufgabe 5 an!)

7 Ergänzen Sie!

Setzen Sie das fehlende Adjektiv ein:

einwandfrei – geräumig – regelmäßig – üblich – zusätzlich.

1 Diese Wohnung bietet mir genug Platz, ich finde sie __________.
2 Die Heizung ist vollkommen in Ordnung, sie läuft __________.
3 Das ist nur die Kaltmiete; für Strom und Gas zahle ich __________ 100,- € im Monat.
4 Jeder bezahlt hier eine Kaution, das ist so __________.
5 Die Miete kommt direkt von meinem Bankkonto, __________ am 29. jeden Monats.

Was soll ich werden?

1 Was passt zusammen?

Die folgenden Begriffe (1–8) bezeichnen verschiedene Fähigkeiten, die für bestimmte Berufe wichtig sind.

1 körperliche Leistungsfähigkeit
2 Teamfähigkeit
3 Sprachbeherrschung
4 Ideenreichtum
5 rechnerisches Denken
6 räumliches Vorstellungsvermögen
7 Kontaktfähigkeit
8 manuelles Geschick

a Man kann sich gut mündlich und schriftlich ausdrücken.
b Man kann leicht auf andere Menschen zugehen.
c Man kann körperlich anstrengende Arbeiten schaffen.
d Man ist geschickt mit Händen und Fingern.
e Man kann gut mit Kollegen zusammenarbeiten.
f Man kann sich gut dreidimensionale Gebilde vorstellen.
g Man hat viele Ideen.
h Man kann gut mit Zahlen und Maßen umgehen.

2 Welche Berufe werden hier genannt?

Drei Schüler, die bald ihren Abschluss machen, unterhalten sich über Berufe und Berufswünsche. Unterstreichen Sie!

Architekt	Berufsberater	KFZ-Mechaniker	Reiseleiter
Bankkaufmann	Elektroinstallateur	Krankenschwester	Werkzeugmacher
Bauzeichner	Grafiker	Modellbauer	Zeitungsverkäufer

3 Kreuzen Sie an!

Hören Sie noch mal zu! Welche besonderen Fähigkeiten haben die drei Schüler?

Jenny kann ...

- ☐ sich gut konzentrieren
- ☐ mit Menschen umgehen
- ☐ gut reden
- ☐ malen und zeichnen.

Susanne kann ...

- ☐ gut rechnen
- ☐ mit Computern klar kommen
- ☐ Pläne zeichnen
- ☐ gut Sachen verkaufen.

Bernd kann ...

- ☐ Texte formulieren und schreiben
- ☐ gut basteln und Sachen nachbauen
- ☐ gut organisieren.

4 Was müssen sie können?

Kennen Sie diese Leute? Schreiben Sie zu jedem Beruf ein paar Sätze!

Beispiel: C Dompteur
Ein Dompteur muss mutig sein. Er muss gut mit Tieren umgehen können.

5 Was will er werden?

Bernd spricht mit einem Berufsberater über seine berufliche Zukunft.

a Ergänzen Sie im folgenden Dialog die richtigen Modalverben! Der Anfangsbuchstabe ist jeweils angegeben.

Berufsberater: Guten Tag! Was k__________ ich für Sie tun?
Bernd: Guten Tag! Mein Name ist Bernd Maasen. Ich m__________ mich über Berufe informieren, die für mich in Frage kommen.
Berufsberater: Da k__________ ich Ihnen helfen. Wissen Sie denn so ungefähr, was Sie beruflich machen w__________?
Bernd: Meine Eltern w__________, dass ich in Ihrem Geschäft mitarbeite. Ich s__________ eine kaufmännische Ausbildung machen. Aber ich m__________ lieber etwas Handwerkliches machen.
Berufsberater: Hmm. Da m__________ ich natürlich erstmal etwas über Ihre Fähigkeiten und Interessen erfahren. Was k__________ Sie denn? Welche Hobbys haben Sie?

b Wie könnte das Gespräch weitergehen? Schreiben Sie den Dialog selbst zu Ende!

6 Was möchten Sie werden?

a Befragen Sie Ihren Nachbarn im Kurs nach seinem Traumberuf und machen Sie sich kurze Notizen dazu! Dann berichten Sie den anderen Teilnehmern, warum er/sie sich diesen Beruf besonders wünscht!

Die Traumberufe — Umfrage bei 14- bis 18-jährigen

Mehrfachnennungen in %

Jungen	%	%	Mädchen
EDV-Fachmann	25	26	Journalistin
Architekt	24	22	Rechtsanwältin
Handwerker	23	22	Sozialarbeiterin
Multimedia-Spezialist	21	21	Werbekauffrau
Journalist	18	18	Ärztin
Rechtsanwalt	18	17	Architektin
Werbekaufmann	18	15	Apothekerin

b Erstellen Sie eine Statistik für die ganze Gruppe! Erkennen Sie einen „Trend“ ?

7 Was bin ich?

Ein Teilnehmer überlegt sich einen Beruf, die anderen müssen ihn erraten. Sie dürfen aber nur 20 Fragen stellen, die man mit „ja“ oder „nein“ beantworten kann.

Beispiel: *Muss man in dem Beruf besondere Kleidung tragen?*
Mussten Sie ein Studium abschließen?
Ist dieser Beruf ...?
Sind Sie ...?
usw.

Gehen wir aus?

1 Kennen Sie den Film?

Lesen Sie die Filmbeschreibungen und suchen Sie das passende Szenenfoto!

1 Der Stummfilm *Metropolis* (1926) von Fritz Lang, der in einer fantastischen Zukunftsstadt spielt, ist ein Klassiker geworden.

2 Der österreichische Regisseur Joseph Sternberg drehte 1930 den Film *Der blaue Engel* nach dem Roman von Heinrich Mann. Marlene Dietrich wurde als die Tänzerin Lola weltbekannt.

3 Wolfgang Staudtes Film *Die Mörder sind unter uns* mit der jungen Hildegard Knef in der weiblichen Hauptrolle spielt ein Jahr nach Kriegsende in der Ruinenstadt Berlin.

4 Rainer Werner Fassbinder ist einer der bekanntesten Regisseure des „Jungen Deutschen Films". Sein Film *Angst essen Seele auf* (1973) erzählt von der schwierigen Liebe zwischen der 60-jährigen Witwe Emmi und dem 20 Jahre jüngeren Gastarbeiter Ali.

5 Eine der deutschen Filmproduktionen, die auf dem Weltmarkt Erfolg hatten, ist die Literaturverfilmung *Das Boot* (1981) von Wolfgang Petersen. Der Film erzählt die Geschichte des deutschen U-Bootes U 96 und seiner Besatzung im 2. Weltkrieg.

6 Wim Wenders, einer der erfolgreichsten deutschen Regisseure, erhielt einen Preis für seinen Film *Der Himmel über Berlin* (1987). Engel kommen auf die Erde und beobachten das Treiben der Menschen.

2 Gehen Sie oft ins Kino?

Welcher der genannten Filme würde Sie interessieren? Warum? Diskutieren Sie.

3 Ergänzen Sie!

a Max möchte sich mit Ulla verabreden, aber Ulla hat wenig Zeit. Hören Sie zu! Was hat Ulla abends vor? Tragen Sie die Aktivitäten in Ullas Kalender ein!

b Schreiben Sie auf, warum Ulla keine Zeit hat!

Redemittel		
Montagabend	hat Ulla keine Zeit,	weil …
	kann Ulla nicht,	

Und wann hat Max keine Zeit? Warum?

	vorm.	nachm.	abends
Montag		Mittagessen mit Sabine	
Dienstag	Besprechung 11.00		
Mittwoch		15.00 Sauna	
Donnerstag			
Freitag	Arzt 9.00		
Samstag			
Sonntag		Kaffee und Kuchen bei Oma	

4 Was passiert hier?

Hören Sie das Telefongespräch noch mal! Fällt die Verabredung von Max und Ulla „ins Wasser“ oder finden die beiden eine Möglichkeit sich zu treffen?

Schreiben Sie zusammen mit einem Partner einen Schluss für den Dialog! Lesen Sie Ihre Variante mit verteilten Rollen der Gruppe vor!

5 Was unternehmen wir?

a Sie verbringen ein Wochenende in Berlin. Schauen Sie sich die Collage an! Was möchten Sie unternehmen?

b Sie möchten sich mit einem Freund, der in Berlin lebt, verabreden. Sie rufen an und müssen eine Nachricht auf den Anrufbeantworter sprechen. Was sagen Sie?

Gehen wir essen?

1 Lesen Sie die Speisekarte!

Welche Speisen kennen Sie? Was würden Sie gern probieren? Was würden Sie auf keinen Fall bestellen?

RESTAURANT ZUM GRÜNEN BAUM

Speisekarte

Suppen

Hühnerbrühe 1,80 €
Spargelcremesuppe 2,60 €
Linsen-Eintopf 2,60 €
Ochsenschwanzsuppe 2,50 €

Vorspeisen

Krabbencocktail 3,20 €
Gegrilltes Gemüse 3,30 €
Gemischter Salat mit Ei oder Schafskäse 3,55 €

Fleischgerichte

Schweinebraten mit Rotkohl und Klößen 9,90 €
Eisbein mit Sauerkraut und Salzkartoffeln 10,50 €
Roulade mit Leipziger Allerlei und Kroketten 10,35 €
Kalbsleber mit Röstzwiebeln und Spätzle 11,50 €

Fisch und Geflügel

Forelle Gärtnerin Art mit Salzkartoffeln 11,90 €
Schollenfilet mit Remoulade und Bratkartoffeln 13,30 €
Brathähnchen mit Pommes Frites und Salat 7,30 €
Entenbrust mit Pilzen und Reis 11,50 €

Nachspeisen

Götterspeise mit Vanillesauce 2,65 €
Gemischtes Eis 3,15 €
Schwarzwald-Becher 3,25 €
Obstsalat mit Joghurt 3,05 €
Obststreusel 1,50 €
Käse-Sahne-Torte 2,30 €
Apfelstrudel 2,80 €

2 Ergänzen Sie!

Es gibt viele Möglichkeiten.

Als Vorspeise: Lachs oder ________
Als Fleischgericht: Schnitzel oder ________
Als Beilage: Reis oder ________
Als Geflügel: Ente oder ________

Als Gemüse: Blumenkohl oder ________
Zum Würzen: Salz oder ________
Als Nachtisch: Eisbecher oder ______
Als Getränk: Bier oder ________

3 Wo spielen die Gespräche?

Sie hören Gespräche zwischen den Gästen und der Bedienung. Schreiben Sie jeweils die Nummer des Dialogs ins Kästchen!

In einer Kneipe ☐
In einem Restaurant ☐ ☐
In einer Kantine ☐
An einem Imbissstand ☐

4 Ergänzen Sie!

Notieren Sie die Verben aus den Dialogen!

1 – Und was ________ Sie?
– Bratwurst mit Pommes.
– Moment, die Pommes ________ ein bisschen.

2 – Wissen Sie schon, was Sie trinken ________?
– Ja, ich ________ einen trockenen Weißwein.

3 – Klaus, ________ mir mal noch ein Brötchen mit.
– Hier, das ________ 30 Cent.

4 – Hat Ihnen die Vorspeise ________?
– Die ________ ausgezeichnet. ________ ich zu meinem Ragout lieber Reis bekommen?
– Selbstverständlich.

5 – Lecker. Das ________ genau das Richtige.
– Und ________ hat's auch.

5 Machen Sie Dialoge!

Spielen sie selbst Dialoge im Restaurant. Benutzen Sie die Speisekarte von Seite 102 und folgende Redemittel:

Redemittel	
Bedienung	**Gast**
Sie wünschen bitte? Was darf es sein? Was kann ich Ihnen bringen?	Ich nehme ... Ich möchte ... Ich hätte gerne ...
Sind Sie zufrieden? Hat es Ihnen geschmeckt?	Danke, ja. Es war ausgezeichnet / sehr gut.
Haben Sie noch einen Wunsch? Kann ich noch etwas für Sie tun?	Könnten wir noch einmal die Karte haben? Bringen Sie mir bitte ... Was können Sie uns als Dessert empfehlen? Die Rechnung bitte.
Zahlen Sie zusammen oder getrennt? Das macht dann 42,50 €.	Geben Sie bitte auf 46 € zurück. Bitte, stimmt so.

6 Kalorien, Diäten und mehr...

Diäten sind modern geworden. Die Kartoffeldiät, die Null-Fett-Diät und so weiter und so fort. Wissen Sie, wie viele Kalorien in je 100 g der folgenden Nahrungsmittel stecken? Diskutieren Sie in Gruppen und ergänzen Sie die Tabelle!

Bananen – Butter – Hamburger – Haselnüsse – Honig – Kartoffeln – Kartoffelchips – Lachs – Linsen – Nudeln – Salat – Salzstangen – Schweinskotelett – Vollkornbrot – Zwiebeln

0–50 kcal		**50–100 kcal**		**100–250 kcal**		**250–500 kcal**		**500–1000 kcal**	
________	15	________	71	________	131	________	306	________	535
________	28	Weintrauben	71	________	133	________	309	Schokolade	536
Äpfel	49	________	95	________	187	Gummibärchen	340	________	636
				Avocado	217	________	348	________	741
				________	239	________	350		

Politik und Gesellschaft

1 Was passt zusammen?

Zum Ende des 20. Jahrhunderts denkt man zurück. Ein Kulturmagazin hat die wichtigsten 100 Begriffe zu den vergangenen 100 Jahren veröffentlicht.

a Ergänzen Sie!

Autobahn – Bikini – Computer – Demokratisierung – Eiserner Vorhang – Fernsehen – Flugzeug – Friedensbewegung – Inflation – Kaugummi – Massenmedien – Rock'n'Roll – Schwarzarbeit – Selbstverwirklichung – Soziale Marktwirtschaft – Stau – Völkerbund – Volkswagen – Werbung – Fließband

Politik	Wirtschaft	Verkehr	Information	Lebensstil (Mode)
				Bikini

b Welche Begriffe waren in den letzten 10 Jahren wichtig?

2 Richtig oder falsch?

Hören Sie sich die Befragung von Schülern an. Ein Dauerbrenner unter den politischen Themen ist der Umweltschutz.

1 In der Schule gibt es viele Projekte zum Umweltschutz.
2 Manchmal wird im Unterricht über Umweltschutz gesprochen.
3 Auch im Urlaub versuchen die meisten Leute den Müll zu trennen.
4 In vielen Supermärkten kosten Plastiktüten etwas Geld.
5 Manche Eltern achten darauf, dass die Kinder Energie sparen.
6 An neuen Umweltgesetzen gibt es keine Kritik.

3 Ergänzen Sie!

Was ist Umweltfreundlichkeit?

1 Die __________ abstellen, wenn man zum Lüften die __________ öffnet.
2 Getränke lieber in __________ mit Pfand kaufen als in __________ zum Wegwerfen.
3 Zu Hause nicht unnötig __________ brennen lassen und nicht unnötig warmes __________ verbrauchen.
4 Ein neues __________ für den Schutz der Umwelt muss keine Beschränkung der __________ der Bürger sein.
5 Für kurze Strecken nicht das __________ nehmen, sondern das __________.

Auto, Dosen, Fahrrad, Fenster, Flaschen, Freiheit, Gesetz, Heizung, Licht, Wasser

4 Die Nationalhymne

Die deutsche Nationalhymne hat seit 1952 folgenden Text:

Einigkeit und Recht und Freiheit
für das deutsche Vaterland!
Danach lasst uns alle streben
brüderlich mit Herz und Hand!

Einigkeit und Recht und Freiheit
sind des Glückes Unterpfand.*
Blüh im Glanze deines Glückes,
blühe, deutsches Vaterland!

* *Unterpfand = Garantie, Grundlage*

In einer Rede (1992) erinnert Hans-Dietrich Genscher, deutscher Außenminister von 1974 bis 1992, an den Text der Nationalhymne:

„Das deutsche Volk, als ein großes Volk im Herzen Europas, sollte sein Verhalten immer so einrichten, dass seine Existenz auch von seinen Nachbarn als Unterpfand ihres eigenen Glückes empfunden wird. Das ist die beste Garantie für eine glückliche Zukunft des deutschen Volkes."

a Was wissen Sie über die Beziehungen zwischen Ihrem Land und Deutschland?
b Tut Deutschland etwas dafür, dass man in Ihrem Land glücklicher ist?
c Könnte Deutschland mehr für ein glückliches Europa tun?

5 Typisch deutsch?

a Die Karikatur zeigt, was aus der Freiheit werden kann, wenn sich ein Staat zu gut um sie kümmert. Ist das typisch deutsch?
b Entwerfen Sie Ihr Bild von dem Begriff „Freiheit".

6 Schreiben Sie einen Brief

Haben Sie einen Vorschlag, Wunsch oder Kritik?
„Der Kummerkasten der Nation" ist für alle da. Jung und Alt, Deutsche und Nichtdeutsche können einen Brief an den Petitionsausschuss des deutschen Parlaments schicken. Eine persönliche Unterschrift ist die einzige Bedingung. Jährlich kommen ca. 20 000 Briefe an: Beschwerden, Bitten, Vorschläge. Bei 38% kann der Petitionsausschuss helfen, von weiteren 14% werden die Vorschläge angenommen.

Interessieren Sie sich für Kunst?

1 Ergänzen Sie!

Alle großen und auch viele kleine Städte in Deutschland, Österreich und der Schweiz haben interessante Museen. Gezeigt werden Besonderheiten der Region, Dokumente der Geschichte und Werke von weltweiter Bedeutung.

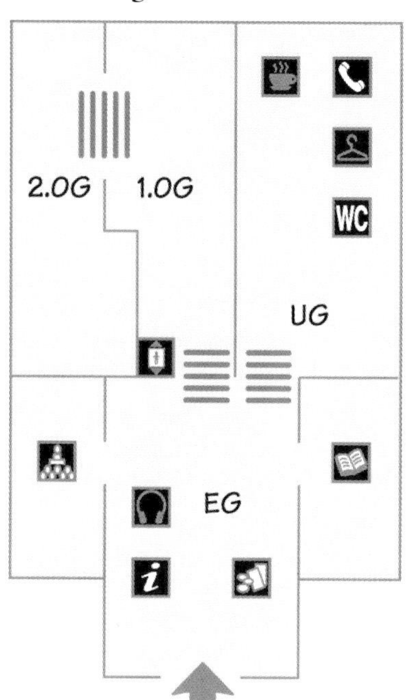

- Wir heißen Sie in unserem Museum herzlich willkommen. Der handliche Raumplan wird Ihnen die Orientierung erleichtern.
- In der Eingangshalle finden Sie vorne die __________ und links daneben die __________ , wo Sie auch aktuelle __________ erhalten.
- Im Untergeschoss, das Sie über die Treppe rechts erreichen, sind die __________ , die __________ und __________ untergebracht. Zur Erfrischung und Stärkung lädt die __________ ein.
- In den Nebenräumen des Erdgeschosses befindet sich links ein __________ , in dem auch Filme gezeigt werden können, und rechts bietet Ihnen der __________ Informatives und Dekoratives zum Mitnehmen.
- Der erste und zweite Stock ist frei für die jeweiligen Ausstellungen. Neben den Treppen gewährt ein __________ Zugang zu den unterschiedlichen Etagen.
- Wir wünschen Ihnen einen angenehmen Aufenthalt.

Cafeteria – Garderobe – Informationstheke – Kasse – Lift – Museumsladen – Telefone – Toiletten – Tonbandführungen – Vortragssaal

2 Machen Sie Dialoge!

Sehen Sie sich die Informationen (rechts) an und spielen Sie Dialoge zwischen Museumsbesucher (B) und Personal (P)!

Beispiel:

B: *Guten Tag, ich hätte gern zwei Eintrittskarten für Studenten.*

P: *Haben Sie Studentenausweise bei sich?*

B: *Ja, hier. Was kostet das?...*

INFORMATIONEN

Eintrittspreise: Erwachsene 5,- €, Schüler und Studenten 2,- €, Familienkarte 11,- €, Kinder unter 6 Jahren frei

Führungen für Gruppen bis 25 Personen 50,- €, Fremdsprachen- und Fachführungen 60,- €

Essen und Trinken: Restaurant (1. Etage), Imbissraum (Erdgeschoss), Café (3. Etage), Speisewagen (Freigelände)

Museumsladen: Ausstellungsführer (2,60 €), Kataloge und Literatur, Spielzeug und Geschenke, Plakate und Postkarten

Informationen: Die Bibliothek, das Archiv und Dokumentationen stehen zur Verfügung

Regelmäßige Führungen um 10.00 und 14.00 Uhr

3 Was haben die Leute besucht?

München ist ein wichtiges Kulturzentrum in Deutschland. Mit rund 50 öffentlichen Museen und Sammlungen nimmt die Stadt eine Spitzenstellung ein.
Sie hören vier Leute, die einen Besuch beschreiben. Ordnen Sie die Dialogausschnitte 1–4 zu.

Gemäldegalerie	☐
Jagd- und Fischereimuseum	☐
Skulpturensammlung	☐
Deutsches Museum	☐
Theatermuseum	☐
BMW-Ausstellung	☐
Siemens-Museum	☐
Bierbrauerei	☐
Bavaria-Filmstudios	☐

4 Dada spielt verrückt!

Lesen Sie den folgenden Text!

a Dieser Text ist im typischen Dada-Stil! Schreiben Sie ihn richtig mit Groß- und Kleinbuchstaben und Satzzeichen!

b Woher kommt der Begriff *dada*? Benutzen Sie ein Lexikon!

ZÜRICH gilt als GebUrtsort des Dadaismus Künstler AUS
Deutschland FranKreich UND RumänIEN kamen
hier in den Jahren des Ersten Weltkrieges zusammen
DIE Dadaisten stellten alle TRADitionellen Formen und
Werte auf den Kopf und protestierten gegen den
wahnsinn DES KriegEs

5 Informationen sammeln

Sammeln Sie im Kurs Namen von Künstlern und Wissenschaftlern aus der Schweiz, Österreich oder Deutschland.

Beispiele:

Christa Wolf | Wolfgang A. Mozart | ?..............? | Albert Einstein | Max Beckmann

Wählen Sie eine Persönlichkeit aus, stellen Sie Informationen zusammen und berichten Sie. Sie könnten Informationen im Internet suchen!

Wir informieren Sie

1 Silbenrätsel

Erraten Sie mit Hilfe der Silben im Kasten die fehlenden Begriffe!
Tipp: Sie finden fast alle Wörter in den Texten auf den Seiten 58–59!

1 Eine Zeitschrift mit vielen Bildern und Fotos nennt man ____________.
2 Eine der populärsten deutschen Fernsehserien heißt ____________.
3 Die Frankfurter ____________ ist die größte der Welt.
4 Wichtigstes Medium in (fast) allen deutschen Wohnzimmern: ____________.
5 Fett gedruckte Überschrift auf einer Zeitungsseite: ____________.
6 Zum Rundfunk gehören Fernsehen und ____________.
7 Im Radio werden zu jeder vollen Stunde ____________ gesendet.
8 In einer Bibliothek kann man Bücher ____________.

aus	buch
den	fern
funk	hen
her	hör
il	zei
lei	lin
lus	mes
nach	rich
schlag	se
ße	trier
stra	te
ten	le
	se

2 Was passt zusammen?

Sie hören Ausschnitte aus vier verschiedenen Radioprogrammen. Finden Sie heraus, welche Art von Sendungen das sind und welches Bild dazu passt! (Schreiben Sie die Nummer neben das passende Bild!)

A ____

B ____

C ____

D ____

3 Ergänzen Sie

Die folgenden Sätze hören Sie so ähnlich in den Sendungen.

Sendung 1

a An dem Streik im K____________ Wertheim haben mehr als ____________ Beschäftigte teilgenommen.
b Das H____________ an der Oder ist in der Nacht um ____________ Zentimeter gesunken.
c Auf der C____________ CeBIT in Hannover waren so viele B____________ wie nie zuvor.

Sendung 2

a Für den Nachmittag wird R____________ vorhergesagt.
b In den nächsten Tagen soll das Wetter f____________ und t____________ werden.

Sendung 3

a Frau Drews hat für ihre Geschäftsidee einen P____________ bekommen.
b In der Agentur von Frau Drews können G____________ Regeln für das Verhalten im A____________ lernen.

Sendung 4

a Dr. Behrens ist E____________ für rechtliche Fragen.
b Normalerweise gibt es in den Hotels dort keine H ____________.

4 Bilden Sie Fragen!

In den Sendungen hören Sie unter anderem einen Ausschnitt aus einer Talkshow. Lesen Sie hier die Antworten, die Frau Sommerfeld im weiteren Verlauf des Gesprächs gibt! Die dazu passenden Fragen sollen Sie selbst formulieren.

1 ________? Ich bin Chefin der größten Heiratsagentur in Deutschland.
2 ________? Seit über zwei Jahrzehnten.
3 ________? Nein. Diesen Beruf kann man nur in der Praxis erlernen.
4 ________? Ja, sehr! Menschen zusammenzubringen ist doch eine schöne Aufgabe.
5 ________? Nein, leider nicht. Ich hätte gar keine Zeit für Mann und Familie.

5 Was passt zusammen?

a Zeitung A und Zeitung B bringen die gleichen Nachrichten, aber unter verschiedenen Überschriften. Ordnen Sie zu!

Zeitung A

1 Zwei Cent mehr pro Kilowattstunde
2 HOCH „DIETER" BRINGT HITZE
3 Hauptstraße bleibt gesperrt
4 Umweltministerkonferenz tagt: Streit über Kernenergie
5 Tournee abgesagt
6 Erneuter Regierungswechsel in Italien
7 Handball-Höhepunkt in Hamburg

Zeitung B

A Umweltminister uneins zu Atomausstieg
B Musiker an Grippe erkrankt
C Strompreise steigen
D Sommer kommt wieder
E Weiter Umleitung in Stadtmitte
F HANDBALL Pokal-Finale in Alsterhalle
G Rom Parlament vor der Auflösung

b Was ist das Thema der verschiedenen Nachrichten?

Beispiel:
1C Der Strompreis wird um zwei Cent pro Kilowattstunde teurer.

6 Diskutieren Sie

Der deutsch-französische Fernsehsender *arte* beschäftigt sich mit europäischen Themen und hat viel Kultur im Angebot.

- Was für Sendungen/Themen erwarten Sie für die verschiedenen Sparten? Nennen Sie Beispiele!
- Was interessiert Sie persönlich am meisten?
- Wann würden Sie abends *arte* einschalten?

Eine Deutschlandreise

1 Ergänzen Sie!

In dem folgenden Text fehlen die Präpositionen!

in | Im | durch | vom | über | unter | nach | aus | nach | auf | Im | durch

WILLKOMMEN IN DEUTSCHLANDS STÄDTEN

Eine Reise ________ Deutschlands Städte ist eine Reise ________ viele Welten. ________ Norden Deutschlands erzählen alte Backsteinbauten ________ Reichtum der Hanse. ________ Süden findet man herrliche Dome, Rathäuser und Schlösser.

Viele Großstädte haben ihre Stadtkerne ________ historischem Vorbild restauriert und zahlreiche Gebäude stehen ________ Denkmalschutz.

Die meisten Städte in Deutschland sind „grüne" Städte. Die Sehnsucht der Bewohner ________ der Natur ist groß. Besonders Besucher ________ dem Ausland staunen ________ das viele Grün ________ Balkonen, Dachterrassen und ________ Hinterhöfen.

2 Raten Sie mit auf unserer Rätselreise!

Sie hören ein Ratespiel: wie heißen die Städte und Flüsse?

Haben Sie Lust Deutschlands schönste Städte und Landschaften kennen zu lernen? Dann machen Sie mit bei unserem großen Ratespiel und gewinnen Sie eine 14-tägige Rundreise durch Deutschland für zwei Personen!

Wer alle Antworten richtig einträgt, nimmt an unserer Verlosung teil. Der Rechtsweg ist ausgeschlossen.

☆1 Die vier Bundesländer heißen
- a N________-W________
- b R________-P________
- c H________
- d B________-W________.

☆2 Das bekannte Gebirge zwischen Karlsruhe und Basel heißt S________.

☆3 Der größte See im Süden Deutschlands ist der B________.

☆4 M________ ist die Landeshauptstadt von Bayern.

☆5 Der Fluss, an dem die bayrische Hauptstadt liegt, heißt I________.

☆6 Die Grenzstadt an der Donau ist P________.

☆7 Das Bundesland, das im Nordosten an Bayern grenzt, ist S________ mit der Hauptstadt D________.

☆8 Die Bundeshauptstadt ist natürlich B________.

☆9 Deutschlands größte Insel liegt in der Ostsee und heißt R________.

☆10 Auf der Weiterfahrt nach Hamburg kommt man durch R________ und L________.

☆11 Die einzigartige Landschaft zwischen Hamburg und Hannover heißt L________ H________.

☆12 Start und Ziel der Rundreise ist die Stadt K________ am R________.

3 Können Sie Karten lesen?

a Hören Sie zu und sehen Sie sich die Karte an! Die Stationen der Deutschlandreise in der nebenstehenden Tabelle sind durcheinander geraten. Schreiben Sie in die Kästchen die richtige Ziffer!

Dresden	☐
Hannover	☐
Köln	☐
München	☐
Hamburg	☐
Basel (CH)	☐
Rostock	☐
Lindau	☐
Passau	☐
Lübeck	☐
Karlsruhe	☐
Berlin	☐

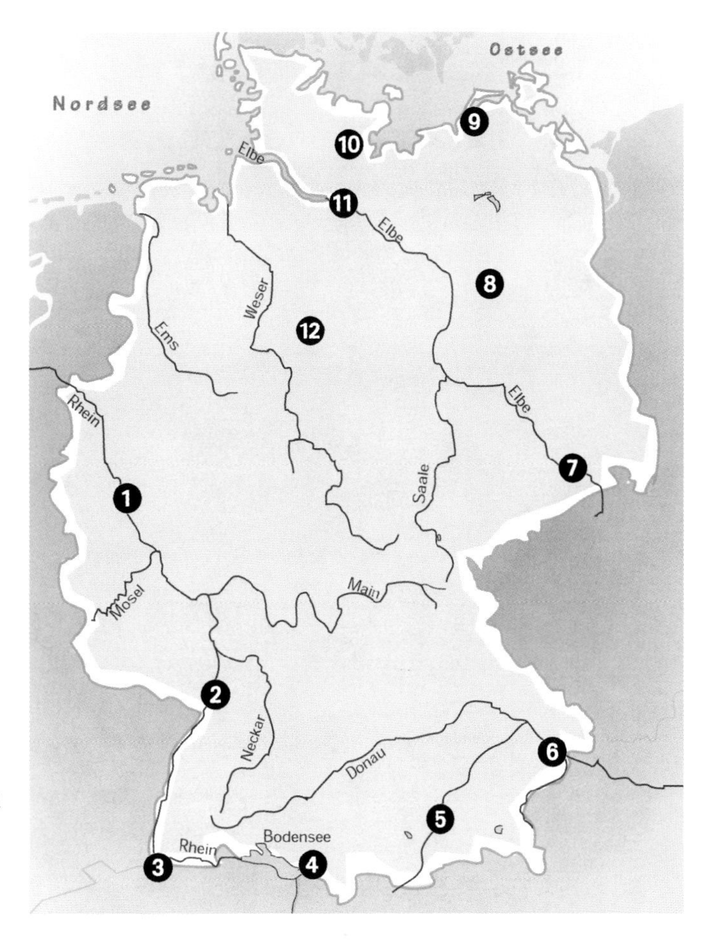

b Hören Sie noch mal zu und verfolgen Sie die Deutschlandreise! Welche Transportmittel bzw. -möglichkeiten werden benutzt? Notieren Sie die richtige Antwort für die einzelnen Etappen auf der Karte!

4 Bilden Sie Quizfragen!

a Bereiten Sie mit einem Partner einige Quizfragen vor! Suchen Sie sich acht der insgesamt zwölf Reisestationen aus!
Notieren Sie auf einem Zettel für jede Stadt drei bis vier Stichwörter (geografische Lage, Sehenswürdigkeiten, berühmte Bewohner, Hauptstadt von ...).

Beispiel:

liegt an der Elbe
Hafenstadt
Hansestadt

(Das ist Hamburg.)

b Nun stellen Sie einem anderen Team aus der Gruppe eine Ihrer Quizfragen.

Beispiel:
Die Stadt liegt im Norden an der Elbe. Sie hat einen großen Hafen ... Wie heißt die Stadt?
Wird die Frage richtig beantwortet, so dürfen die beiden befragten Teilnehmer weitermachen.

c Wenn Ihnen das Raten Spaß macht, können Sie auch so ein Quiz unter dem Motto STADT – LAND – FLUSS zu Ihrem Land veranstalten. Aber bitte auf Deutsch!

Entdecken Sie Wien!

1 Finden Sie den Oberbegriff!

Suchen Sie zu den folgenden Wortgruppen den passenden Oberbegriff im Kasten!

Besteck – Gebäude – Gepäck(stück)
Geschäft – Geschirr – Getränk
Himmelsrichtung – Jahreszeit
Unterkunft – Verkehrsmittel – Währung

Oberbegriff:				**weitere Beispiele:**
________	Bus	Auto	Flugzeug	________
________	Hotel	Pension	Jugendherberge	________
________	Schloss	Rathaus	Kirche	________
________	Wein	Bier	Kaffee	________
________	Bäckerei	Drogerie	Buchhandlung	________
________	Gabel	Messer	Löffel	________
________	Sommer	Herbst	Winter	________
________	Koffer	Tasche	Rucksack	________
________	Osten	Westen	Süden	________
________	Teller	Tasse	Untertasse	________
________	Franken	Euro	Dollar	________

2 Richtig oder falsch?

Sie hören ein Gespräch zwischen einer Münchnerin und einer Wienerin im Zug.

1 Die deutsche Touristin wohnt seit ihrem sechsten Lebensjahr in München.
2 Sie war schon öfter in Österreich.
3 Die Wienerin hat immer in demselben Stadtbezirk gewohnt.
4 Ihre Familie ist aus Slowenien gekommen.
5 Die Münchnerin macht bei einem Besichtigungsprogramm mit.
6 In der Winterreitschule werden die Lipizzaner-Pferde trainiert.
7 Die Touristin will jeden Tag an einer Stadtführung teilnehmen.
8 Auf der Ringstraße fährt noch die Straßenbahn.

3 Beantworten Sie folgende Fragen!

Hören Sie den Dialog noch mal! (Ein Tipp: Einige Informationen finden Sie auch auf den Seiten 76–77.)

1 Wie heißen in Wien die Stadtteile? (Es gibt 23 davon.)
2 Welche Herkunft haben viele Einwohner von Wien?
3 Wie heißt die Dynastie, die über 600 Jahre von Wien aus regiert hat?
4 Welche sind die drei „großen" Sehenswürdigkeiten von Wien?
5 Wo findet man preiswertere Hotels oder Pensionen?
6 Wo befindet sich die Hofburg?
7 Wie heißen die berühmten weißen Pferde der Hofreitschule?

4 Wo ist...?

Schauen Sie sich den Stadtplan an! Sie wohnen in dem berühmten ***Hotel Sacher*** direkt an der Oper.
Machen Sie mit einem Partner Dialoge: Fragen Sie nach dem Weg bzw. beschreiben Sie den Weg zu folgenden Sehenswürdigkeiten in der Wiener Innenstadt:

1 Stephansdom
2 Peterskirche
3 Winterreitschule
4 Kunsthistorisches Museum

Beispiel:

Wo ist die Peterskirche?

Gehen Sie die Kärntner Straße entlang und dann bis zum Graben ...

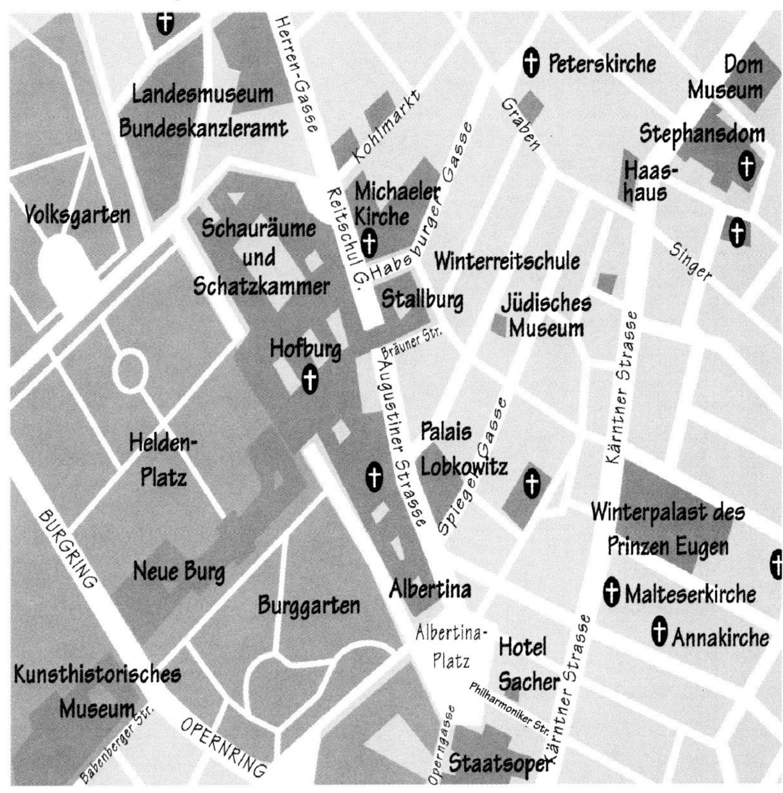

Redemittel					
nach dem Weg fragen			**den Weg beschreiben**		
Entschuldigung,	wie komme ich wo geht es hier	zum/zur ...? nach ...?	Gehen Sie	geradeaus links/rechts die Straße entlang	
	wo ist hier	der ...? die ...? das ...?		über	die Kreuzung den Platz die Brücke
	ich suche ...	den ... die ... das ...		an ... vorbei bis zum/zur ...!	

5 Spielen Sie!

Ein Teilnehmer des Kurses beschreibt eine (größere) Stadt in seiner Heimat – natürlich ohne den Namen zu nennen. Die anderen müssen raten, welche Stadt gemeint ist.

Die vielseitige Schweiz

1 Schweizer Heimat

Fast alle Menschen haben ein Land, eine Gegend, für die sie sich verantwortlich fühlen, ein Gebiet, das sie als „Heimat" bezeichnen.

In *Des Schweizers Schweiz* von Peter Bichsel (1935 in Luzern geboren) gibt er in wenigen einfachen Sätzen ein Bild davon, wie er sich zur Schweiz und zu den Schweizern verhält.

Des Schweizers Schweiz

Ich liebe diese Gegend, und es ist mir wichtig, Bürger dieses Landes zu sein, weil mir mein Bürgerrecht garantiert, dass ich unter allen Umständen hier bleiben darf.

Es ist vorstellbar, dass ich als schwedischer Bürger in der Schweiz aufgewachsen wäre und alle Gefühle für diese Gegend hätte. Dann könnte man mich ausweisen.

Ich habe das Recht, hier zu bleiben. Das ist mir viel wert. Es macht mir Spaß, und ich werde bleiben, dem Satze zum Trotz: "Du kannst ja gehen, wenn es Dir hier nicht passt!"

Doch möcht ich hier bleiben dürfen, ohne ständig begeistert sein zu müssen. Ich bin nicht als Tourist hier. Ich gestatte mir, unsere Sehenswürdigkeiten nicht zu bestaunen. Ich gestatte mir, an einem Föhntag das Alpenpanorama zu ignorieren. Ich gestatte mir, die holländische Landschaft schön zu finden. Ich weiß nicht genau, was ein Holländer meint, wenn er sagt: "Die Schweiz ist schön."

Wir haben in dieser Gegend sehr viel Nebel, und ich leide unter dem Föhn. Der Jura und die Alpen machen mir vor allem ein schlechtes Gewissen, weil ich immer das Gefühl habe, ich müsste sie besteigen und es doch immer wieder sein lasse. Ich habe mit nichts so viel Ärger wie mit der Schweiz und Schweizern.

Was mich freut und was mich ärgert, was mir Mühe und was mir Spaß macht, was mich beschäftigt, hat fast ausschließlich mit der Schweiz zu tun.

Das meine ich, wenn ich sage: "Ich bin Schweizer."

Ordnen Sie richtig zu!

1 Trotz seiner Kritik zu bleiben,
2 Das Schweizbild von Touristen zu verstehen,
3 Das Leben in der Schweiz und mit den Schweizern,

a das macht ihm Mühe.
b das macht ihm Spaß.
c das macht ihm Ärger.

2 Diskutieren Sie!

Nennen Sie typische Dinge aus Ihrer Heimat. Was macht Ihnen Spaß? Was macht Ihnen Mühe? Was macht Ihnen Angst?

3 Was wissen Sie über Basel?

Wo liegt Basel? Was wissen Sie noch über Basel? Hören Sie das Gespräch am Flughafen und machen Sie Notizen!

4 Ergänzen Sie die Zahlen!

3 – 5 – 16 – 27 – 50 – 1963 – 200000 – 4600 000

Nach ________ Minuten Flugzeit landet Peter auf einem Flugplatz, der zu ________ Ländern gehört. Seit________ versucht man um Basel über die Grenzen hinweg zusammenzuarbeiten; in der „Euregio Oberrhein" leben ________ Menschen. Basel-Stadt hat dagegen nur ________ Einwohner, doch unter anderem trotzdem ________ Museen.

Martin arbeitet seit ________ Monaten in der chemischen Industrie, dem wichtigsten Wirtschaftszweig der Region. Die Produktion ist für den internationalen Markt bestimmt: Nur ________ Prozent der Waren werden in der Schweiz verkauft.

5 Richtig oder falsch?

Korrigieren Sie die falschen Aussagen!

1 Basel hat einen eigenen Flughafen.
2 Die „Euregio Oberrhein" verbindet die Schweiz mit Frankreich und Deutschland.
3 In Basel gibt es ungefähr 27 Restaurants.
4 Kinofilme werden in der Schweiz normalerweise synchronisiert.
5 Die Forschungsarbeit für die Pharmazie findet Martin interessant.
6 Die Produktion der chemischen Industrie wird hauptsächlich exportiert.
7 Die Schweiz ist Mitglied der Europäischen Union.

6 Diskutieren Sie!

Wenn Sie vom Alltag die Nase voll haben, wohin möchten Sie dann reisen? Lässt sich ein „Trend" in Ihrer Gruppe erkennen? Ist es ein hoher Berg, ein großer See, ein dichter Wald, eine einsame Insel oder der Dschungel einer Großstadt?

Wörterliste

Die kursiv gedruckten Zahlen geben an, auf welcher Seite die Wörter zum ersten Mal im Buch vorkommen.

¨ bedeutet: Umlaut im Plural
(Pl.) bedeutet: Es gibt dieses Wort nur in der Pluralform
* bedeutet: Das betreffende Verb ist unregelmäßig
[hier:] bedeutet: Das Wort hat hier eine spezielle, auf einen bestimmten Kontext bezogene Bedeutung
[fig.] bedeutet: figurativ (das Wort ist als bildlicher Ausdruck zu verstehen)

A

das **Abgas, -e** Gas, das abgeblasen wird, z. B. aus Kraftfahrzeugen *81*
abgelegen einsam, isoliert gelegen *84*
der **Abgeordnete, -n** Parlamentarier, (Volks)Vertreter *37*
abgeschnitten isoliert, abgetrennt *42*
das **Abitur** Abschluss(prüfung) nach 12 bzw. 13 Jahren Gymnasium; Hochschulreife *20*
absagen sagen, dass etw. nicht stattfindet *109*
abstellen [hier:] ausmachen, abschalten *104*
die **Abteilung, -en** Bereich *33*
abtreten * [hier:] abgeben, überlassen *81*
abwechslungsreich nicht monoton, vielfältig *62*
adlig aristokratisch *74*
ähnlich gleich, vergleichbar *19*
der **Akademiker, –** jd., der studiert hat *24*
das **All** Weltraum, Universum *55*
die **Allee, -n** auf beiden Seiten von Bäumen eingefasste Straße *65*
allerdings [hier:] aber, jedoch *76*
allgemein nicht speziell *21*
alljährlich jedes Jahr stattfindend *80*
allmählich mit der Zeit, Schritt für Schritt *10*
der **Alltag** das tägliche, „normale" Leben *17*
die **Alm, -en** Weide (für das Vieh) im Hochgebirge *92*
das **Alphorn, ¨er** altes, einfaches, sehr langes Blasinstrument aus Holz *92*
der **Altar, ¨e** (Opfer)Tisch in der Kirche, an dem der Priester die Sakramente vollzieht *74*
die **Alternative, -n** andere Möglichkeit *20*
die **Amtssprache, -n** offizielle Sprache (eines Staates) *93*
die **Anatomie** Wissenschaft vom Körperbau *48*
angeblich wie man behauptet/sagt *80*
das **Angebot, -e** [hier:] Sortiment; alle Waren, die verkauft werden *33*
der **Angestellte, -n** jd., der nicht selbständig, sondern abhängig (von einem Arbeitgeber) arbeitet *39*
der **Angriff, -e** Attacke, Eroberungsversuch *85*
der **Anhänger, –** Fan *27*
anscheinend scheinbar, wie es aussieht *42*
anstelle (an)statt *84*
anstrengend ermüdend, viel Kraft erfordernd *98*
anwenden benutzen, gebrauchen *95*
die **Anzeige, -n** Inserat, Annonce (Zeitung) *97*
der **Anzug, ¨e** Bekleidung bestehend aus Hose und dazu passender Jacke *84*
anzünden Feuer anmachen *14*
die **Ära, Ären** Zeitalter, Zeitabschnitt *77*
der **Arbeitgeber, –** Chef, Unternehmer *24*
der **Arbeitnehmer, –** Angestellter, Arbeiter *24*
die **Arbeitsstätte, -n** Arbeitsplatz *53*
arbeitswütig „süchtig" nach Arbeit, immerzu arbeitend *79*
archaisch aus der Frühzeit, altertümlich *92*
das **Argument, -e** Grund *59*
die **Armut** Elend, Not *36*
das **Asyl** Schutz, Zuflucht *89*
das **Attentat, -e** politischer Mord(versuch) *41*
das **Attribut, -e** Eigenschaft, typisches Merkmal *39*
die **Au(e), -n** feuchtes, bewaldetes Flusstal; Niederung *75*
der **Aufenthalt, -e** Zeit, die man an einem bestimmten Ort verbringt, bleibt oder wartet *106*
aufführen [hier:] zeigen, spielen, inszenieren *50*
aufgeben * [hier:] aufhören, darauf verzichten *13*
die **Auflösung, -en** [hier:] Beendigung, Zerfall *109*
die **Aufnahmeprüfung, -en** Prüfung, die über die Zulassung entscheidet *22*
aufsagen vortragen, rezitieren *15*
der **Aufstand, ¨e** Revolte, Rebellion *44*

der **Aufstieg, -e** Aufschwung, Karriere *67*
der **Auftritt, -e** Vorstellung, Auftreten vor Publikum *77*
aufwachsen * groß werden *13*
aufwärts nach oben *43*
die **Augenweide** schöner Anblick *33*
ausarbeiten entwickeln, fertig stellen; verbessern *36*
ausbauen fertig stellen; vergrößern, erweitern *37*
die **Ausbildung, -en** Qualifikation; Lehre, Studium etc. *20*
ausbrechen * [hier:] (plötzlich) anfangen, entstehen *37*
ausdehnen ausbreiten, expandieren *8*
der **Ausdruck** [hier:] Expression, Betonung *49*
der **Ausdruck, ⸚e** [hier:] Begriff, Wort *53*
der **Ausflug, ⸚e** kleine (Tages)Reise, kleine Wanderung *27*
der **Ausgangspunkt, -e** Startort *83*
aushalten * ertragen *96*
die **Ausnahme, -n** Abweichung von der Regel *45*
ausreichend genug *19*
ausrufen * [hier:] proklamieren *38*
die **Ausrüstung, -en** für einen bestimmten Zweck nötige Gegenstände; Werkzeug *89*
die **Aussage, -n** Feststellung, Erklärung *24*
ausschließlich nur, alleinig *114*
der **Ausschnitt, -e** Teil, Einzelheit *104*
außerordentlich ungewöhnlich, besonders *114*
die **Aussicht, -en** Blick, Panorama *75*
ausüben praktizieren (einen Beruf, eine Sportart) *26*
die **Auswahl** Angebot, Wahl *58*
die **Auswanderung** Emigration *36*
auswendig aus dem Gedächtnis *11*
autoritär streng, undemokratisch *36*

B

der **Backstein, -e** gebrannter Stein aus Lehm oder Ton *64*
die **Bandscheibe, -n** elastische Scheibe zwischen zwei Wirbeln (Hals, Rücken) *25*
die **Baracke, -n** einfacher, provisorischer (Holz)Bau, Notwohnung *43*
der **Beamte, -n** Angestellter des Staates, „Staatsdiener" *40*
beantragen formell etw. fordern, verlangen *19*
das **Becken, –** [hier:] Ebene, tieferes Gebiet *75*
der **Bedarf** Bedürfnis; das, was man braucht *32*
die **Bedienung** [hier:] Kellner(in), Servierer(in) *102*
die **Bedingung, -en** Voraussetzung [im Plural auch: Situation] *24*
die **Bedrohung, -en** Gefahr, Gefährdung *37*
der **Befehl, -e** Kommando, Anordnung *81*
begabt talentiert, fähig *49*
begehrt sehr gewünscht, alle wollen es haben *18*
begeistern (refl.) etw. toll finden, mit Enthusiasmus reagieren *27*
beginnen * anfangen *14*
der **Begleiter, –** jd., der mit einem geht *14*
begraben * beerdigen *81*
begrenzt beschränkt, limitiert *22*
der **Begriff, -e** [hier:] Wort, Ausdruck *108*
beherbergen Raum, Unterkunft für etw./jdn. bieten *75*
beherrschen bestimmen, dominieren *50*
der **Behinderte, -n** jd., der einen körperlichen oder geistigen Schaden hat *40*
bekämpfen gegen etw./jdn. vorgehen *37*
Bekanntschaft machen kennen lernen *34*
die **Bemühung, -en** Anstrengung *45*
benutzen verwenden, gebrauchen *10*
bequem [hier] komfortabel *19*
beraten * besprechen, diskutieren *8*
bereichern reicher machen *48*
der **Bericht, -e** sachliche Darstellung, Erzählung *17*
berühmt sehr bekannt, renommiert *24*
die **Besatzung, -en** Crew, Mannschaft *100*
der **Beschäftigte, -n** Arbeitnehmer, Angestellter *54*
die **Beschäftigung, -en** [hier:] die Aktivität, der Zeitvertreib *28*
beschließen * entscheiden, bestimmen über *40*
der **Beschluss, ⸚e** Entscheidung, Vereinbarung *65*
beschreiben * erläutern, charakterisieren; ein Bild zeichnen mit Worten *16*
die **Beschwerde, -n** Klage, Protest *105*
beseitigen wegschaffen, verschwinden lassen *39*
besetzen okkupieren *41*
besichtigen sich anschauen, besuchen *60*
besiedelt bewohnt *64*
besitzen * (als Eigentum) haben *18*
die **Besorgung, -en** Erledigung, Einkauf *96*
bestimmen [hier:] prägen, beeinflussen *38*
beteiligen (refl.) mitmachen, teilnehmen *37*
beten zu einem Gott sprechen *48*
betrachten ansehen, -schauen *37*
betreffen * angehen *51*
der **Betrieb, -e** Firma, Unternehmen *54*
die **Bevölkerung, -en** Menschen, die in einem Land/einer Region leben *10*
bevorzugen lieber haben, machen etc. *29*
bewaffnet mit Waffen ausgerüstet *89*

die **Bewegung, -en** [hier:] politische Strömung *36*
der **Bewerber, –** Kandidat, Interessent *57*
bewundern bestaunen, schön finden *16*
bezeichnen nennen *114*
bezeichnend charakteristisch, typisch *77*
bezeugen Zeuge sein von, dokumentieren *64*
die **Beziehung, -en** Kontakt, Verbindung *44*
bezwingen * besiegen *82*
die **Bilanz, -en** [hier:] Ergebnis *41*
die **Bildung** [hier:] Qualifikation; Erwerben von Kenntnissen, Fähigkeiten *22*
die **Bindung, -en** Beziehung *81*
der **Bischof, -̈e** kirchl. Titel, Rang *74*
das **Blei** Metall (chem. Zeichen: Pb) *16*
blenden blind machen, täuschen *40*
blicken schauen, sehen *56*
blitzblank sehr sauber und glänzend *93*
der **Block, -̈e** [hier:] Vereinigung mehrerer Staaten, Parteien etc. um die Macht zu vergrößern *45*
die **Blockade, -n** Absperrung *42*
blöd(e) [umg.] doof, dumm *56*
die **Blüte** [hier:] Höhepunkt *48*
die **Börse, -n** Ort, an dem Wertpapiere, Waren etc. gehandelt werden *68*
die **Botschaft, -en** [hier:] ständige diplomatische Vertretung *91*
der **Botschafter, –** Gesandter, oberster Diplomat *37*
der **Brauch, -̈e** Tradition, Gewohnheit *14*
die **Brauerei, -en** Unternehmen, das Bier produziert *17*
die **Brezel, -n** Gebäck, das ungefähr aussieht wie eine Acht *17*
die **Bühne, -n** erhöhter Teil des Theaters, wo die Aufführung stattfindet *80*
der **Bummel, –** gemütlicher (Einkaufs)Spaziergang *103*
der **Bund, -̈e** Vereinigung, Zusammenschluss *64*
die **Bürgerinitiative, -n** Vereinigung von Bürgern/Einwohnern um politische Forderungen durchzusetzen *43*

C

die **Chance, -n** gute Aussicht/Gelegenheit; Möglichkeit *31*
die **Clique, -n** Gruppe von Freunden, Gleichgesinnten *31*
die **Couch, -s** (Liege)Sofa *76*

D

damalig aus dieser früheren, vergangenen Zeit *45*
damals zu dieser vergangenen Zeit *42*
dank durch, mit Hilfe von *50*
der **Dauerbrenner, –** [fig.] etwas, das immer aktuell ist *104*
der **Deich, -e** Schutzwall gegen Hochwasser und Fluten *62*
die **Dekoration, -en** Schmuck, Verzierung *14*
demonstrieren [hier:] an einer (Protest)Kundgebung teilnehmen *37*
das **Denkmal, -̈er** Kunstwerk oder Bauwerk, das an ein Ereignis/eine Person erinnern soll *49*
deponieren lagern, entsorgen *57*
derb grob, kräftig *51*
dergleichen so etwas, etwas in der Art *38*
deutlich klar, gut erkennbar; mit Nachdruck *45*
deutschstämmig aus Deutschland kommend *10*
der **Dialekt, -e** Mundart *10*
dienen [hier:] eine Funktion haben *29*
die **Dienstleistung, -en** Service z. B. von Banken, in der Gastronomie etc. *8*
diskutieren bereden, Meinungen austauschen *28*
distanzieren (refl.) sich fern halten, nichts damit zu tun haben wollen *43*
die **Disziplin** (Unter)Ordnung *24*
dogmatisch unbeweglich, an Dogmen festhaltend *45*
das **Dorf, -̈er** kleiner Ort, Siedlung auf dem Land *26*
drehen [hier:] einen Film machen *100*
dringend eilig *56*
die **Druckpresse, -n** Maschine zum Drucken von Zeitungen, Büchern etc. *11*
duften gut, angenehm riechen *96*
durchmachen [hier:] die Nacht verbringen ohne zu schlafen, z. B. auf einer Party *61*
der **Durchschnitt** Mittelwert, Mittelmaß *19*

E

e. V. Abkürzung für Eingetragener (=registrierter) Verein *28*
die **Ebbe** Zurückfließen des Meerwassers *63*
die **Ebene, -n** flaches Land *62*
ebenfalls auch *53*
echt nicht gefälscht, wirklich *32*
edel [hier:] adlig, vornehm *70*
effektiv [hier:] leistungsstark, produktiv *87*
die **Ehe, -n** offiziell geschlossene Lebensgemeinschaft zwischen Mann und Frau *40*
ehemalig früher, Ex- *12*
ehrlich ohne zu lügen, die Wahrheit sagend *13*
ehrwürdig [hier:] alt und vornehm *70*
der **Eid, -e** Schwur; feierliches, formales Versprechen *86*
die **Eigenschaft, -en** Merkmal, Charakteristikum *51*

das **Eigentum, -̈er** Besitz *18*

der **Eindruck, -̈e** Impression, (Ein)Wirkung *49*

der **Einfluss, -̈e** Wirkung *34*

eingerichtet [hier:] möbliert, ausgestattet *19*

einheimisch in einem Land/Ort geboren und dort lebend *86*

einheitlich für alle/überall gleich *10*

die **Einigung, -en** [hier:] Zusammenschluss, Einswerden *37*

das **Einkommen, –** Gehalt; Geld, das man bekommt (durch Arbeit, Besitz etc.) *18*

einmalig nur einmal vorkommend, ganz besonders *85*

einordnen an die richtige Stelle/in den richtigen Zusammenhang bringen *114*

die **Einrichtung, -en** [hier:] Organisation, Institution *91*

einsam allein, isoliert *12*

die **Einschreibung** [hier:] Immatrikulation *22*

die **Einsicht, -en** Erkenntnis *76*

eintragen * in etw. einschreiben *95*

eintreten * [hier:] Mitglied/Teilnehmer werden *37*

einwandfrei ohne Fehler/Mängel *97*

einweihen mit einer Zeremonie eröffnen *48*

einzeln für sich alleine *62*

einzig alleinig; nur das existiert *10*

das **Elend** Not, Unglück *36*

emigrieren auswandern *36*

empfangen * (herein)bekommen *58*

empfehlen * raten, als gut/günstig vorschlagen *61*

enorm sehr groß, hoch *38*

entkommen * fliehen, flüchten *115*

entlassen * kündigen, wegschicken *37*

entscheiden * etw. beschließen, eine Wahl treffen *21*

die **Entspannung** Lockerung; Liberalisierung (polit.) *45*

entspringen * entstehen; seinen Ursprung/seine Quelle haben *74*

entstehen * sich (heraus)bilden, sich entwickeln; werden *36*

entwickeln (refl.) entstehen, wachsen; sich verändern *11*

die **Entwicklung, -en** Prozess; wie es weitergeht *13*

das **Erbe** das, was die vorhergehende(n) Generation(en) uns hinterlassen haben *77*

die **Erfahrung, -en** Kenntnisse; Erlebnis, aus dem man etw. lernt *24*

erfinden * etw. ganz Neues (z. B. eine Maschine) schaffen *11*

der **Erfolg, -e** Sieg, sehr gute Leistung *26*

erforschen wissenschaftlich untersuchen *51*

ergänzen vervollständigen; hinzufügen, was fehlt *94*

das **Ergebnis, -se** das Resultat *31*

erhalten * [hier:] bewahren, konservieren *65*

erholen (refl.) wieder gesund werden; sich ausruhen, regenerieren *57*

die **Erinnerung, -en** Gedanke(n) an die Vergangenheit *12*

erkältet leicht krank (Schnupfen, Husten etc.) *96*

erlauben sagen, dass jd. etw. darf; zulassen *45*

ermorden umbringen, töten *37*

ernst [hier:] schwerwiegend, gravierend *43*

der **Ernst** kein Spaß *20*

erobern mit Gewalt in Besitz nehmen, unterwerfen *41*

die **Erscheinung, -en** [hier:] Phänomen *50*

erschießen * durch einen Schuss töten *81*

erschreckend schrecklich, furchtbar *41*

erstrecken (refl.) sich ausdehnen *63*

der **Erwachsene, -n** (geistig u. körperlich) voll entwickelter Mensch *12*

erwähnen nennen *52*

der **Erwerbstätige, -n** Berufstätiger *54*

erzeugen produzieren, bewirken *51*

die **Erziehung** [hier:] Ausbildung *21*

es kommt darauf an es ist entscheidend; es hängt davon ab *42*

eskalieren sich steigern, sich überstürzen *45*

die **Ethik** Morallehre *51*

die **Eurythmie** Ausdruckstanz; Bewegung und Sprache/Gesang *21*

ewig für alle Zeit *88*

exklusiv [hier:] besonders, speziell, für gehobene Ansprüche *33*

der **Experte, -n** Fachmann *51*

exzentrisch überspannt, mit merkwürdigen Launen *79*

F

das **Fach, -̈er** [hier:] Wissens- oder Unterrichtsgebiet, z. B. Mathematik, Biologie *21*

das **Fachwerk** bes. im 16./17. Jahrhundert übliche Bauweise mit Holzbalken und Lehm oder Ziegeln dazwischen *69*

das **Fachwissen** Kenntnisse auf einem bestimmten Gebiet *12*

die **Fähigkeit, -en** Können, Qualifikation *98*

fassen [hier:] gefangen nehmen *41*

fasten nichts oder nur bestimmte Speisen essen *15*
feierlich zeremoniell *9*
feiern ein Fest machen, festlich begehen *14*
feindlich gegnerisch *9*
der **Felsen**, – große Masse aus Stein *63*
fertig zu Ende, abgeschlossen *20*
fiktiv nicht real, erfunden *58*
die **Fläche**, **-n** Areal, Gebiet *54*
das **Flair** Atmosphäre, Ausstrahlung *76*
flanieren bummeln, spazieren gehen (in der Stadt) *110*
der **Fleiß** Eifer, Tatkraft *24*
fleißig eifrig *28*
die **Fliese**, **-n** Wand- oder Fußbodenplatte aus Stein, Kunststoff etc. *97*
der **Flohmarkt**, **¨-e** Markt mit Gebrauchtwaren, Antiquitäten etc. *32*
die **Flotte**, **-n** alle Schiffe eines Landes *91*
flüchten fliehen, weglaufen (vor Gefahr) *37*
der **Flüchtling**, **-e** jd., der fliehen muss *41*
das **Flugblatt**, **¨-er** Papier mit (politischen) Mitteilungen, das verteilt wird *41*
die **Flut**, **-en** strömendes (Hoch)Wasser *62*
der **Föhn**, **-e** warmer, trockener Wind *114*
die **Folge**, **-n** Ergebnis, Konsequenz *36*
fördern [hier:] Kohle etc. aus der Erde nach oben bringen *66*
fordern verlangen, haben wollen *36*
der **Fortschritt**, **-e** das Weiterkommen, Besserwerden *50*
freiwillig ohne Zwang; weil man es will *20*
fremd anders(artig), unbekannt *19*
der **Fremdenverkehr** Tourismus *82*
das **Fremdwort**, **¨-er** Wort, das aus einer anderen Sprache übernommen wurde *28*
der **Frieden** Zustand ohne Krieg; Ruhe, Harmonie *45*
das **Friedensgebet**, **-e** Bitte (an Gott) um Frieden *70*
frieren * sich kalt fühlen, unter der Kälte leiden *42*
froh zufrieden, glücklich *13*
fruchtbar ertragreich, gute Ernte bringend *65*
die **Führung**, **-en** Besichtigung einer Sehenswürdigkeit mit einem Führer, der alles erklärt *106*
füllen voll machen *15*
fürchten Angst haben *12*
der **Fürst**, **-en** Adelstitel *48*

G

die **Gabe**, **-n** [hier:] Begabung, Fähigkeit *70*
der **Garant**, **-en** jd., der etw. garantiert, absichert *8*
die **Garde**, **-n** militärische (Elite)Truppe *89*
die **Garderobe**, **-n** [hier:] Kleiderablage, -aufbewahrung *106*
die **Gardine**, **-n** leichter, transparenter Vorhang *19*
die **Gasse**, **-n** kleine, enge Straße *78*
das **Gebiet**, **-e** Region *10*
gebildet mit (Aus)Bildung, kultiviert *13*
das **Gebot**, **-e** Gesetz, Vorschrift *35*
die **Gebühr**, **-en** (amtliche) Kosten *22*
das **Geflügel** Tiere mit Federn/Vögel, die man isst *15*
der **Gegensatz**, **¨-e** Kontrast, großer Unterschied *9*
gegenüber vis-à-vis, auf der anderen Seite *52*
die **Gegenwart** das Heute, was jetzt ist *74*
der **Gegner**, – Feind, Oppositioneller *40*
geheim versteckt, der Öffentlichkeit nicht bekannt *87*
geil [umg.] toll, super *56*
der **Geist**, **-er** Gespenst, Dämon *17*
geistig intellektuell *50*
gelten * [hier:] angesehen werden als *61*
gemeinsam zusammen mit anderen, Gruppen- *28*
die **Gemeinschaft**, **-en** Gruppe, die zusammengehört; Verbindung *58*
der **Gemischtwarenladen**, **¨** kleines Geschäft für Lebensmittel und andere Dinge des täglichen Bedarfs *32*
die **Gämse**, **-n** ziegenähnliches Tier, das im Hochgebirge lebt *84*
gemütlich bequem und behaglich, familiär 19
der **Genosse**, **-n** Kamerad, Gleichgesinnter *86*
geräumig viel Platz/Raum bietend *97*
das **Gericht**, **-e** [hier:] das Essen, die Speise *15*
das **Gericht**, **-e** Ort/Behörde, wo Recht gesprochen wird *47*
gering klein, wenig *94*
gesamt ganz, vollständig *40*
das **Geschäft**, **-e** [hier:] Laden *32*
geschehen * passieren *114*
das **Geschehen**, – Ereignisse; das, was passiert *38*
geschickt [hier:] fingerfertig *98*
das **Geschoss**, **-e** [hier:] Etage, Stock(werk) *106*
gesinnt eingestellt, (ideologisch) orientiert *47*
die **Gestaltung** Design *51*
gestatten erlauben *114*
gewähren erlauben *106*
die **Gewalt**, **-en** rohe Kraft, (zerstörerische) Macht *62*
gewaltsam mit Gewalt, erzwungen 40
das **Gewehr**, **-e** Schusswaffe *89*
die **Gewerkschaft**, **-en** Organisation, die die Interessen der Arbeitnehmer vertritt *25*

gewöhnen (refl.) mit etwas Neuem vertraut werden, sich anpassen *11*
die **Gewohnheit**, **-en** [hier:] Brauch, Tradition *34*
der **Giebel**, **–** dreieckiger Abschluss des Dachs an den Schmalseiten eines Hauses *64*
der **Gipfel**, **–** Bergspitze *49*
glanzvoll prächtig *39*
gleichgestellt mit den gleichen Rechten, in der gleichen Position *42*
der **Gletscher**, **–** Eisstrom im Hochgebirge *81*
die **Glotze**, **-n** [umg.] Fernsehapparat *31*
gnadenlos brutal, unerbittlich, ohne Mitleid *36*
die **Goldgrube**, **-n** [fig., umg.] profitables Geschäft *82*
der **Gottesdienst**, **-e** die gemeinsame Zeremonie der Gläubigen *15*
grell stark leuchtend, sehr kräftig *51*
die **Grenze**, **-n** Trennlinie zwischen Grundstücken, Ländern etc. *8*
großzügig [hier:] geräumig, mit viel Platz *97*
gründen ins Leben rufen, initiieren *27*
der **Gründer**, **–** Initiator; jd., der etw. aufbaut *21*
die **Grundlage**, **-n** Basis, Voraussetzung *45*
das **Grundprinzip**, **-ien** Grundsatz, wichtige Voraussetzung *38*
das **Gut**, **¨-er** [hier:] Ware, Produkt *54*

H

der **Haken**, **–** Gegenstand zum Festhalten (oben gebogen) *27*
der **Handel** Austausch von Waren etc., Geschäft *54*
handeln [hier:] sich verhalten *40*
handlich bequem und praktisch, leicht zu handhaben *106*
hässlich unschön *17*
der **Hauch**, **-e** [hier:] sehr leichter Wind, Luftzug *49*
das **Haupt**, **¨-er** Kopf; Führer *90*
die **Hauptsache** das Wichtigste *35*
hauptsächlich vor allem, in erster Linie *35*
der **Haushalt** [hier:] alle zu Hause, in der Familie nötigen Arbeiten *12*
die **Heide**, **-n** flache, sandige Landschaft mit Gräsern und Sträuchern *62*
heilen gesund machen, kurieren *68*
das **Heim**, **-e** (Zu)Haus *18*
hektisch übertrieben geschäftig, ruhelos *14*
der **Held**, **-en** besonders mutiger Kämpfer; jd., der etwas Herausragendes leistet *81*
das **Hendl**, **–** junges Huhn (bayr., oberdt.) *17*
der **Hering**, **-e** Meeresfisch *80*
herrlich wunderbar, sehr schön *110*
der **Heurige** [oberdts., österr.] junger Wein von diesem Jahr *75*
heutig modern, von heute *18*
hexen zaubern *70*
der **Hintergrund**, **¨-e** [hier:] tieferer Zusammenhang, eigentliche Ursache etc. *59*
der **Hinweis**, **-e** Tipp, Information *113*
der **Hirte**, **-n** jd., der Nutztiere, z. B. Kühe oder Ziegen, hütet *89*
die **Hoffnung**, **-en** optimistische Erwartung an die Zukunft *25*
der **Hopfen** Pflanze; Rohstoff für Bier *35*
hügelig mit niedrigen Erhebungen/Bergen *84*
hundemüde [umg.] sehr, sehr müde *21*
die **Hütte**, **-n** einfache, sehr kleine Behausung *43*

I

das **Ideal**, **-e** Vorbild *13*
ignorieren nicht beachten *114*
die **Illustrierte**, **-n** Zeitschrift mit Bildern, Fotos *59*
der **Imbiss**, **-e** kleine Mahlzeit (zwischendurch) *35*
immerhin jedenfalls, mehr/besser als erwartet *10*
imposant beeindruckend *72*
innerhalb in *44*
insgeheim im Geheimen, versteckt *38*
die **Institution**, **-en** Einrichtung, Behörde *40*
intelligent klug *26*

J

jobben [umg.] arbeiten (meist vorübergehend, ohne feste Anstellung) *22*
der **Jodler**, **–** jd., der jodelt, d.h. auf eine bestimmte Art und Weise (ohne Worte) singt *92*
der **Jugendliche**, **-n** Teenager *20*

K

die **Kammer**, **-n** [hier:] Lagerraum *77*
kämpfen [hier:] sich mühen *32*
der **Karpfen**, **–** Speisefisch *15*
die **Kaserne**, **-n** Gebäude, in dem Soldaten stationiert sind *39*
kegeln sportliches Spiel, bei dem man eine Kugel über eine Bahn nach Kegelfiguren rollt *28*
die **Keimzelle**, **-n** [hier:] Ursprung *88*
der **Keks**, **-e** Plätzchen, Gebäck *15*
der **Keller**, **–** (Lager)Raum unter einem Gebäude *78*
der **Kerl**, **-e** Mensch, Mann, Junge (oft negativ gebraucht) *14*
der **Kernpunkt**, **-e** zentraler, wichtigster Punkt *38*
KFZ Abkürzung für Kraftfahrzeug *21*
der **Kiosk**, **-e** Verkaufshäuschen für Zeitungen, Süßigkeiten, Zigaretten etc. *59*
die **Kirmes** Jahrmarkt, Rummel *17*

der **Kitsch** geschmacklose Pseudo-Kunst *82*
die **Klamotten** (Pl.) [umg.] Kleidung(sstücke) *31*
klären klar machen *9*
die **Klausel, -n** zusätzliche Bestimmung z. B. in Verträgen *46*
das **Klischee, -s** zu oft gebrauchte, pauschale Vorstellung *86*
der **Knabe, -n** Junge, männliches Kind *77*
knapp nicht ganz *54*
der **Knecht, -e** Diener; Gehilfe des Bauern *14*
die **Knechtschaft** Sklaverei *88*
die **Kneipe, -n** das Gasthaus/Wirtshaus, z. B. Studenten-, Bierkneipe *22*
der **Kommerz** Handel, Geschäftemacherei *14*
kommunal Gemeinde- *18*
Konjunktur haben wirtschaftlich erfolgreich sein, gut laufen *30*
konsumieren verbrauchen *35*
kontrollieren überwachen, -prüfen; beherrschen *42*
das **Kopfgeld, -er** Prämie für die Gefangennahme von Kriminellen oder Flüchtlingen *42*
kostbar wertvoll *75*
die **Kostbarkeit, -en** etwas Wertvolles *77*
köstlich sehr gut schmeckend, edel; [auch:] komisch, erheiternd *53*
kräftig stark *17*
der **Kranz, -̈e** aus Zweigen, Blumen o. ä. gebundener Ring *14*
der **Kredit, -e** Geld, das man (ver)leiht *18*
kreuz und quer hin und her, in alle Richtungen *61*
die **Krippe, -n** [hier:] Darstellung mit Figuren der Heiligen Familie im Stall zu Bethlehem *15*
die **Kronjuwelen** (Pl.) Schmuck, Gold etc. aus dem Besitz eines Herrscherhauses *77*
die **Kröte, -n** Froschart *57*
kulinarisch die Kochkunst/ die (gute) Küche betreffend *34*
der **Kummer** Sorge *105*
kümmern (refl.) sich sorgen, sich beschäftigen *12*
der **Kumpel, -s** [umg.] (Arbeits)Kamerad, Freund *19*
der **Kunde, -n** Klient, Käufer *32*
kündigen einen Vertrag etc. beenden, auflösen *18*
der **Künstler, –** jd., der Kunst schafft, z. B. Maler, Dichter etc. *48*
künstlich nicht natürlich, artifiziell *62*
der **Kurs, -e** [hier:] Richtung, Weg, Zielsetzung *37*
die **Küste, -n** Land am Meer *62*

L

lächeln leise lachen *80*
die **Lakritze, -n** (schwarze) Süßigkeit aus Süßholzsaft *32*
ländlich provinziell, nicht städtisch *64*
langweilig uninteressant, öde *13*
der **Lärm** sehr laute Geräusche, Krach *17*
der **Lastwagen, –** KFZ zum Transport schwerer Güter *57*
lebhaft lebendig, farbig *32*
leblos ohne Leben, tot *33*
die **Legende, -n** Sage, Mythos *88*
leger locker, formlos *39*
die **Lehre, -n** 2- bis 3-jährige Ausbildung für bestimmte Berufe *20*
die **Leibwache, -n** Truppe/Garde zum persönlichen Schutz *40*
der **Leichnam, -e** Leiche, Körper eines Toten *79*
leichtfüßig schnell und elegant *26*
das **Leid** Unglück, großer Schmerz *59*
die **Liste, -n** Aufstellung, Verzeichnis *28*
die **Litfaßsäule, -n** Säule, an der Plakate, Werbung etc. angeschlagen sind *52*
locken verführen, attraktiv sein *15*
lockern [hier:] liberalisieren *33*
der **Lohn, -̈e** Bezahlung für Arbeit *24*
lokal zu einem Ort gehörig *26*
das **Lokal, -e** Gasthaus, Kneipe *28*
lösen eine Antwort, einen Ausweg finden *23*
losgehen * [hier:] anfangen, beginnen *17*
lüften frische Luft hereinlassen *104*
lukrativ lohnend, profitabel *41*
die **Lust** [hier:] Vergnügen, Freude *27*
lustig fröhlich, komisch *16*

M

die **Macht** Herrschaft, (Befehls)Gewalt *37*
magisch verzaubert, geheimnisvoll *73*
der **Magnet, -en** [hier:] Anziehungspunkt, attraktiver Ort 39
malerisch romantisch-idyllisch, pittoresk *72*
manchmal von Zeit zu Zeit, gelegentlich, nicht immer *20*
die **Mannschaft, -en** Team *26*
die **Manufaktur, -en** Betrieb, wo die Waren mit der Hand produziert werden *70*
das **Markenzeichen, –** gesetzlich geschütztes Produktzeichen, Label, z. B. *Rolex* *87*
der **Mäzen, -e** jd., der Künstler und Kultur fördert *48*
die **Meinung, -en** Standpunkt; was jd. über etw./jdn. denkt *13*
melden bekannt geben *63*
die **Mentalität, -en** Art zu denken und sich zu verhalten *86*
das **Merkmal, -e** typische Eigenschaft, Zeichen *62*

die **Messe, -n** [hier:] katholischer Gottesdienst *15*
die **Messe, -n** [hier:] Industrie-, Verkaufsausstellung *17*
die **Metropole, -n** Hauptstadt, Zentrum *39*
mieten etwas gegen Geld für eine bestimmte Zeit benutzen *18*
mild nicht extrem, gemäßigt *68*
die **Minderheit, -en** die, die in der Unterzahl/weniger sind [Ant.: die Mehrheit] *10*
das **Misstrauen** Skepsis, Zweifel, Mangel an Vertrauen *9*
der **Mist** [hier:] Tierkot *80*
die **Mitbestimmung** [hier:] Recht der Arbeitnehmer, an Entscheidungen im Betrieb mitzuwirken *43*
das **Mitglied, -er** jd., der einem Verein, Klub, einer Organisation angehört *25*
das **Mittelalter** die Zeit zwischen Antike und Neuzeit *10*
mobil beweglich; bereit den Ort zu wechseln *18*
moderat gemäßigt, nicht übertrieben *36*
das **Monopol, -e** alleiniges Vorrecht *64*
das **Motiv, -e** [hier:] Objekt, das dargestellt/abgebildet wird *48*
das **Motto, -s** Leitspruch, Devise *43*
die **Mühe, -n** Arbeit, Anstrengung *114*
die **Mumie, -n** konservierter Leichnam *81*
die **Mundart, -en** Dialekt, regionale Sprechweise *10*
münden hineinfließen *74*
mündlich gesprochen *31*
das **Münster, –** Klosterkirche, Dom *72*

N

der **Nachbar, -n** jd., der neben einem sitzt oder wohnt *10*
die **Nachbarschaft** direkte Umgebung *32*
die **Nachricht, -en** Mitteilung, Neuigkeit *45*
der **Nachteil, -e** schlechte Seite; negative Folge *13*
der **Nachtisch** Dessert, Nachspeise *35*
der **Nachtschwärmer, –** [fig., umg.] jd., der gerne nachts ausgeht *61*
der **Nachwuchs** die jungen Leute; die, die nachkommen *31*
das **Nahrungsmittel, –** Lebensmittel, Essen und Trinken *73*
nennen * [hier:] aufführen, -zählen *11*
neutral [hier] nicht parteiisch, unbeteiligt *9*
die **Niederlage, -n** Besiegtwerden *41*
niedrig nicht hoch *19*
normalerweise in der Regel, gewöhnlich *18*
die **Note, -n** [hier:] Beurteilung (z. B. in Punkten) *20*
notwendig etwas unbedingt brauchen *42*
nutzlos unnötig, überflüssig *12*

O

obdachlos ohne Wohnung *19*
oberflächlich ohne tiefere Gefühle/Gedanken, nur auf Äußerlichkeiten bedacht *56*
öffentlich staatlich, städtisch *14*
die **Öffentlichkeit** die Leute, das Publikum *39*
der **Offizier, -e** militärischer Rang, „höherer" Soldat *87*
die **Ohrfeige, -n** Schlag mit der Hand auf die Backe *12*
das **Opfer, –** jd., der etw. Schlimmes erleiden muss *40*
die **Opposition, -en** Widerstand; alle Gegner *36*
orientieren (refl.) sich beziehen; sich als Vorbild/Modell nehmen *43*
die **Orthografie, -n** Rechtschreibung, richtige Schreibweise *11*

P

das **Paar, -e** zwei (Personen, Dinge), die zusammengehören *13*
der **Palast, ¨-e** Schloss, Prachthaus *18*
das **Parkett** [hier:] bes. verlegter Holzfußboden *97*
die **Parzelle, -n** kleines Stück Land *29*
passieren [hier:] überschreiten *74*
die **Pension** [hier:] Unterkunft mit Frühstück und einem (Halb-) oder zwei Essen (Vollpension) *95*
das **Personal** die Mitarbeiter/Angestellten *33*
die **Petition, -en** Bittschrift, Gesuch *105*
der **Pfadfinder, –** Mitglied der gleichnamigen, in England gegründeten Jugendbewegung *87*
das **Pfand** [hier:] Geld, das man bei Rückgabe einer geliehenen Sache zurückbekommt *104*
die **Pflege** [hier:] Betreuung, Fürsorge *24*
die **Pflicht, -en** Aufgabe, Verantwortung; das, was man tun muss *20*
der **Pilger, –** Wallfahrer; jd., der eine religiös motivierte Reise macht *74*
die **Platte, -n** [hier:] Schallplatte *31*
das **Plätzchen, –** das Gebäck, der Keks *15*
der **Polier, -e** Vorarbeiter, Maurer *42*
populär bekannt und beliebt *108*
der **Pott, ¨-e** [norddts.] Topf *66*
prachtvoll prächtig, reich ausgestattet *75*
das **Praktikum, Praktika** praktische Ausbildungsphase *23*
preiswert billig, günstig *19*
die **Presse** [hier:] alle Zeitungen *59*
probieren versuchen; kosten *33*
profitieren Nutzen ziehen; Vorteile haben *36*
progressiv fortschrittlich *13*
die **Promenade, -n** breiter Fußweg *63*

der **Prominente**, **-n** berühmte, bekannte Persönlichkeit *90*
der **Protest**, **-e** Widerspruch *90*
protestieren gegen etw. sein und es sagen/zeigen *43*
die **Provinz**, **-en** [hier:] ländliche Region *30*
die **Prozedur**, **-en** Vorgehensweise, Verfahren *83*
prunkvoll prächtig, luxuriös *48*
das **Publikum** die Zuschauer, Besucher *30*
pünktlich zur richtigen Zeit *61*

Q

qualifiziert gut ausgebildet; geeignet *44*
die **Quelle**, **-n** wo Wasser, z.B. eines Flusses, aus der Erde kommt *68*
die **Quote**, **-n** Zahl, Rate *24*

R

der **Rabatt**, **-e** Preisnachlass, Ermäßigung *31*
radikal kompromisslos, extrem *81*
die **Rampe**, **-n** [hier:] vorderer Rand der Theaterbühne *30*
im **Rampenlicht** [fig.] im Zentrum der Aufmerksamkeit, des öffentlichen Interesses *30*
rar selten, kaum verbreitet *32*
rasen sehr schnell fahren, sich bewegen *52*
der **Raubdruck**, **-e** Nachdruck eines Buches ohne Lizenz *11*
der **Raumfahrer**, – Astro-, Kosmonaut *87*
der **Rebell**, **-en** Aufständischer, Revolutionär *36*
das **Referat**, **-e** Vortrag, Bericht *107*
der **Reformator**, **-en** Erneuerer *11*, *91*
in der **Regel** gewöhnlich, meistens *32*
regelmäßig immer wieder, sich wiederholend *20*
das **Regiment** [hier:] (strenge) Herrschaft *37*
der **Regisseur**, **-e** Filmemacher *30*
das **Reich**, **-e** Staat, Imperium *37*
reichen genug sein *25*
der **Reim**, **-e** Gleichklang von Silben z. B. in einem Gedicht (Haus-Maus; klingen-singen) *38*
die **Renaissance** künstler. Stil und Kulturepoche, ca. 14. bis 16. Jh. *48*
renovierungsbedürftig muss renoviert werden *97*
die **Rente**, **-n** Einkommen, das aus der Versicherung kommt, z. B. die Altersrente *24*
der **Rentner**, **–** jd., der nicht mehr arbeitet und eine (Alters-, Invaliden-)Rente bekommt *12*
der **Reporter**, **–** Berichterstatter für Zeitung, Fernsehen etc. *52*
repräsentieren darstellen; vertreten *16*
die **Residenz**, **-en** Regierungssitz *30*
retten bewahren, in Sicherheit bringen *25*
die **Reue** Bedauern; Wunsch, etw. ungeschehen zu machen *103*
richten (refl.) sich orientieren, anpassen *31*
die **Richtung**, **-en** [hier:] künstlerische/kulturelle Strömung, Tendenz *51*
riesig sehr groß *17*
das **Risiko**, **Risiken** Gefahr, Wagnis *27*
der **Rohstoff**, **-e** Primärstoff, unbearbeitetes Naturprodukt, z. B. Kohle *87*
die **Rolle**, **-n** Funktion, Aufgabe *13*
die **Rosine**, **-n** getrocknete Weintraube *15*
rücken ein kleines Stück bewegen *69*
rückständig nicht fortschrittlich, nicht so entwickelt *80*
der **Ruf** [hier:] Renommee, Ansehen *30*
der **Rummel** Kirmes, Jahrmarkt *103*
rund [hier:] etwa, ungefähr *10*
der **Rundfunk** Radio *58*

S

der **Saal**, **Säle** sehr großer Raum in einem Gebäude *8*
sammeln zusammentragen, -bringen *15*
das **Sanatorium**, **Sanatorien** Heilstätte, Kurklinik *93*
sanft [hier:] vorsichtig, leise *64*
sanieren [hier] restaurieren, in Stand setzen *18*
satt befriedigt (Hunger, Genuss) *43*
der **Sauerstoff** Gas (chemisches Zeichen: O) *54*
sausen [hier:] sehr schnell fahren *27*
der **Schaden**, **¨** Zerstörung *69*
der **Schädling**, **-e** Tier, das Kulturpflanzen zerstört *78*
schaffen * [hier:] künstlerisch gestalten, kreieren *49*
schaffen [hier:] arbeiten *18*
schaffen [hier:] fertig bringen *23*
scharf [hier:] stark gewürzt *35*
die **Schattenseite**, **-n** schlechte Seite, negative Begleiterscheinung *27*
der **Schatz**, **¨e** Reichtümer, Gold und Geld *48*
der **Schauplatz**, **¨e** Ort, wo etwas stattfindet *81*
der **Schausteller**, **–** jd., der einen Stand, ein Karussell etc. auf einem Jahrmarkt betreibt *17*
scheinen * [hier:] es sieht so aus, als ob *42*
scherzhaft lustig, nicht ernst gemeint *32*
die **Schicht**, **-en** [hier:] tägliche Arbeitszeit, z.B. die Frühschicht *25*
das **Schicksal**, **-e** was dem Menschen in seinem Leben passiert *40*
die **Schlagzeile**, **-n** fett gedruckte Überschrift in einer Zeitung *59*

schlimm böse, schlecht *70*

schmal nicht breit, eng, dünn *35*

schmeißen * [umg.] werfen *18*

schmelzen * auflösen, flüssig machen/werden *16*

der **Schmuck** Verzierung, Dekoration; Halsketten, Armbänder etc. *32*

schmücken dekorieren, verschönern *15*

schmutzig dreckig, nicht sauber *21*

der **Schnaps**, **¨e** starkes alkoholisches Getränk *17*

schnitzen in Holz ausschneiden *74*

die **Schöpfung** [hier:] Erschaffung der Welt (durch Gott) *85*

der **Schornstein**, **-e** Schlot, Kamin, Abzug für Rauch *75*

schriftlich in geschriebener Form *31*

die **Schriftsprache**, **-n** die geschriebene Sprache *10*

der **Schriftsteller**, **–** Autor, Verfasser *53*

der **Schütze**, **-n** [hier:] jd., der mit einer Schusswaffe schießt *28*

schwach nicht stark, kraftlos *38*

das **Schwätzchen**, **–** kleine, gemütliche Unterhaltung (über banale Themen) *32*

schweigen * nichts sagen, nicht sprechen *49*

der **Schwerpunkt**, **-e** wichtigster Punkt, zentrales Thema *58*

schwingen * in großem Bogen hin und her bewegen *92*

schwören * einen Eid sprechen *88*

die **See**, **-n** Meer, Ozean *29*

die **Sehenswürdigkeit**, **-en** sehenswerte Bauten, Kunstwerke etc. *60*

die **Sehnsucht**, **¨e** Verlangen; starker Wunsch etw./jdm. nahe zu sein *110*

das **Seil**, **-e** Strick, Tau; man kann damit etw. festbinden *27*

selbstbewusst von sich selbst/von den eigenen Fähigkeiten überzeugt *39*

Selbstmord begehen * sich umbringen, selbst töten *41*

selten sehr wenig, rar *22*

senkrecht vertikal, im 90°-Winkel *27*

die **Sensation**, **-en** besonderes Ereignis, über das alle sprechen *26*

die **Siedlung**, **-en** Komplex von Wohnhäusern, Gebäuden *56*

der **Sieg**, **-e** gewonnener Kampf *37*

die **Silbe**, **-n** Lautgruppe in einem Wort, die zusammen gesprochen wird *108*

sinken * nach unten gehen, abnehmen, weniger werden *13*

der **Sitz**, **-e** [hier:] politisches Mandat *46*

der **Skandal**, **-e** schockierendes Ereignis *76*

der **Skat** beliebtes deutsches Kartenspiel *28*

der **Slogan**, **-s** Schlagwort, Motto *90*

so weit sein * losgehen; bereit/ fertig sein *42*

die **Sorge**, **-n** Kummer, Angst *56*

die **Sorte**, **-n** Art, Typ *35*

das **Souvenir**, **-s** Andenken, Reiseerinnerung *82*

sozial schwach sozial benachteiligt, unten stehend *19*

spalten (gewaltsam) trennen, auseinander bringen *9*

sparsam nicht verschwenderisch, immer sparend *57*

die **Sparte**, **-n** Fach, Gebiet, Zweig *109*

die **Speise**, **-n** Gericht, Essen *34*

sperren schließen, blockieren *61*

sponsern finanziell unterstützen, fördern *87*

das **Sprichwort**, **¨er** (philosophische) Sentenz in Form einer kurzen Wendung, z. B. „Ohne Fleiß kein Preis" *24*

die **Sprungschanze**, **-n** Anlage zum Skispringen *80*

spüren fühlen, empfinden *49*

städtisch Stadt-, urban *49*

der **Stamm**, **¨e** Volksgruppe *10*

der **Stammbaum**, **¨e** Tafel, auf der alle Nachkommen eines Elternpaars verzeichnet sind, oft in Baumform *12*

der **Stand**, **¨e** [hier:] Position *30*

ständig immer, die ganze Zeit *11*

stattfinden * sich ereignen, passieren *16*

staunen sich wundern, überrascht sein *27*

das **Stauwerk**, **-e** Anlage, die Wasser am Weiterfließen hindert *66*

steigend höher/mehr werdend, zunehmend, wachsend *29*

die **Steuer**, **-n** Abgaben, die der Bürger an den Staat zahlen muss *93*

das **Stichwort**, **¨er** das entscheidende, wichtige Wort *33*

das **Stift**, **-e** Kloster oder andere kirchliche Anstalt *75*

stillhalten * [hier:] nicht protestieren, sich etw. gefallen lassen *39*

stilllegen schließen, den Betrieb einstellen *67*

der **Stimmbruch** Stimmwechsel, Tieferwerden der männlichen Stimme im Teenager-Alter *77*

stimmen richtig/wahr sein *34*

das **Stimmrecht**, **-e** Wahlrecht *93*

stimmungsvoll mit schöner Atmosphäre *14*

der **Stoff**, **-e** [hier:] Motiv, Thema, Inhalt *58*

der **Stollen**, **–** [hier:] v.a. zu Weihnachten gebackener Hefekuchen mit Rosinen, Mandeln etc. *15*

stolz [hier:] sehr zufrieden *18*
stören durcheinander bringen *25*
streben versuchen etw. zu erreichen, sich bemühen *105*
die **Strecke, -n** [hier:] der Straßenabschnitt *65*
streiken die Arbeit niederlegen, um bestimmte Forderungen durchzusetzen *25*
streng strikt, autoritär *12*
der **Stress** Belastung, Druck *13*
stressig anstrengend, belastend *19*
der **Stummfilm, -e** Film ohne Ton *100*
der **Sturm, ¨-e** sehr starker Wind *62*
subventionieren mit öffentlichen Mitteln unterstützen *30*
super [umg.] toll, klasse, großartig *31*
sympathisch Zuneigung erweckend; angenehm, liebenswert *26*
das **Synonym, -e** Ausdruck mit gleicher Bedeutung *13*

T

der **Tagebau** Bergbau (z. B. Förderung von Braunkohle) an der Erdoberfläche *66*
das **Tal, ¨-er** ebenes Land zwischen Bergen *27*
tätig aktiv *91*
die **Tatsache, -n** Fakt, reale Gegebenheit *56*
tatsächlich in Wirklichkeit *13*
tauschen das eine geben und dafür das andere bekommen *13*
die **Taxe, -n** Gebühr, Steuer *68*
das **Team, -s** Arbeitsgruppe, Mannschaft *25*
teilnehmen * mitmachen *23*
die **Tendenz, -en** Richtung, Strömung *53*
die **Theke, -n** (Laden)Tisch *106*
der **Tipp, -s** Ratschlag, Empfehlung *63*
toll [umg.] super, großartig *18*
den **Ton angeben** bestimmend, führend sein *50*
die **Tracht, -en** traditionelle Kleidung einer Region, Berufsgruppe etc. *92*
trauen glauben, vertrauen *88*
treu loyal, fest verbunden *26*
trinkbar zum Trinken geeignet *83*
der **Trödel** billiger, alter Kram *32*
der **Trotz** [hier:] Widerstand, Opposition *114*
tüchtig fleißig, leistungsfähig *42*
der **Tunnel, -(s)** unterirdischer Gang für Straßen, Kanäle etc. *78*

U

der **Überfall, ¨-e** plötzlicher, unerwarteter Angriff *41*
überhaupt im Ganzen gesehen *39*
überhaupt nicht gar nicht *17*
überlaufen sehr voll *22*
überleben [hier:] weiterexistieren *30*
überlegen sein mehr können, wissen als jd. anders *93*
übernachten die Nacht verbringen, schlafen *29*
übersetzen von einer Sprache in eine andere übertragen *11*
überwachen kontrollieren *44*
überzeugen jdn. dazu bringen eine (andere) Idee/Meinung anzunehmen *9*
üblich normal, gewöhnlich *21*
übrigens nebenbei bemerkt, apropos *27*
das **Ufer, –** Rand eines Flusses oder Sees *63*
die **Umfrage, -n** Befragung, Interviews *18*
der **Umgang** Beschäftigung, Kontakt *23*
die **Umgangssprache, -n** Sprache, die man im alltäglichen Leben gebraucht *10*
die **Umgebung** Umland, was drumherum ist *61*
umgekehrt andersherum *21*
umkommen * ums Leben kommen, sterben (gewaltsam) *53*
ums Leben kommen * sterben (gewaltsamer, nicht natürlicher Tod) *41*
umschulen in einem neuen, anderen Beruf ausbilden *42*
der **Umstand, ¨-e** Lage, Situation *70*
umweltbewusst die Umwelt schonend, schützend *57*
umweltfreundlich die Umwelt/Natur schützend *33*
der **Umzug, ¨-e** [hier:] Fahrt des Festzuges *17*
unabhängig selbstständig, aus eigener Kraft *12*
uneins nicht einer Meinung, zerstritten *109*
ungezwungen locker, frei *39*
unheimlich gespenstisch, leichte Furcht erregend *91*
unnachgiebig hart, nicht kompromissbereit *61*
unterbringen * Platz finden für jdn./etw. *106*
unterdrücken gewaltsam beherrschen, „unten halten" *52*
unterhalten * (refl.) miteinander sprechen, quatschen *31*
die **Unterhaltung** [hier:] Zeitvertreib, Spaß *58*
unterirdisch unter der Erde gelegen *82*
unterkommen * Obdach/eine Unterkunft finden *19*
unternehmen * machen, tun [hier: Freizeitaktivität] *31*
das **Unternehmen, –** Firma, Konzern *23*
der **Unterricht** [hier:] die Schulstunden *20*
der **Unterschied, -e** was anders/nicht gleich ist *10*

unterstreichen * markieren (mit einem Strich darunter) *98*
die **Unterstützung, -en** Hilfe, Zuschuss *30*
unterwegs auf der Reise, auf dem Wege *27*
unvergleichlich einzigartig, nicht zu vergleichen *70*
das **Unwesen** schlimmes Treiben *16*
ursprünglich zuerst, zu Beginn *15*

V

verabreden einen Termin/ein Treffen ausmachen *101*
verabschieden (refl.) „Auf Wiedersehen", „tschüss" sagen *37*
der **Veranstalter, –** jd., der ein Fest, ein Konzert etc. organisiert und durchführt *30*
die **Verantwortung** Pflicht, Aufgabe, die man erfüllen muss *8*
der **Verband, ¨-e** [hier:] Verein, Interessengruppe *57*
verbessern (refl.) besser werden *42*
verbieten * nicht erlauben, untersagen *38*
die **Verbindung, -en** Kontakt, Beziehung *67*
das **Verbrechen, –** kriminelle Handlung *43*
verbreiten bekannt machen *77*
verdienen etwas durch Arbeit bekommen *12*
vereinen zusammenschließen, -bringen *45*
vereinzelt nicht häufig vorkommend, sporadisch *45*
die **Verfassung, -en** [hier:] die Konstitution, die staatlichen Grundsätze, das Grundrecht *36*
verfolgen [hier:] jdn. suchen, um ihn gefangen zu nehmen *36*
die **Vergangenheit** das Gestern, was vorbei ist *74*
vergehen * vorbeigehen, zu Ende gehen *20*
vergessen * nicht daran denken, sich nicht erinnern *17*
vergleichen * zwei oder mehrere Dinge/Personen betrachten und prüfend gegenüberstellen *24*
das **Verhältnis, -se** Beziehung *24*
die **Verhältnisse** (Pl.) Bedingungen, die Situation *43*
verhandeln Verträge, Beschlüsse etc. diskutieren *65*
verhasst sehr gehasst *88*
verhindern vermeiden, unmöglich machen *64*
verkleiden (refl.) sich kostümieren *17*
der **Verlag, -e** Unternehmen, das Bücher, Zeitungen, Musik etc. publiziert *58*
verlangen fordern, als Bedingung voraussetzen *23*
vermeiden * verhindern, umgehen *64*
vermissen merken, dass etw./jd. fehlt/nicht da ist *13*
vermitteln [hier:] beibringen, lehren *23*
vernichten zerstören *40*
die **Verpflegung** Essen und Trinken, Kost *95*
verringern reduzieren, senken *57*
versammeln (refl.) zusammenkommen *35*
verschuldet mit Schulden belastet *18*
versperren blockieren, zuschließen *44*
versprechen * erklären, dass man etw. ganz bestimmt tun will *39*
verstaatlichen in Besitz des Staates bringen *44*
die **Verständigung** Kommunikation, Sich-Verstehen *61*
verstecken an einen geheimen Platz bringen *16*
verteilen jedem etw. geben *15*
der **Vertrag, ¨-e** Abkommen, Kontrakt *31*
vertreiben * verjagen, zwingen wegzugehen *17*
der **Vertreter, –** Repräsentant *77*
verwalten alle (amtlichen) Angelegenheiten erledigen *47*
verwandt zur Familie, zu einer Gruppe gehörig *10*
verweisen * [hier] ausweisen (aus einem Land), zum Verlassen zwingen *71*
verwirklichen realisieren, wahr machen *18*
verwüsten (total) vernichten, zerstören *41*
VHS Abkürzung für Volkshochschule *23*
das **Vieh** Schweine, Kühe, Schafe etc. *54*
die **Vielfalt** Verschiedenartigkeit *86*
das **Volk, ¨-er** Ethnie; Menschen, die durch Sprache und Kultur eine Gemeinschaft bilden *16*
die **Volksabstimmung, -en** Referendum *63*
vollenden zu Ende bringen *50*
völlig ganz, total *26*
vor allem in erster Linie, hauptsächlich *29*
das **Vorbild, -er** Ideal, Modell/Muster *44*
vorherrschend dominierend; sehr häufig vorkommend *69*
die **Vorschrift, -en** Regel, Instruktion *18*
der **Vorsitzende, -n** Chef, Leiter *43*
vorstellen [hier:] präsentieren, mit Namen etc. nennen *94*
vorstellen (refl.) [hier:] sich ein Bild (im Kopf) machen *15*
die **Vorstellung, -en** [hier:] Idee, Gedanke *44*
der **Vorteil, -e** gute, positive Seite; Nutzen *18*
der **Vortrag, ¨-e** Vorlesung, Referat *28*
vorübergehend nur für kurze Zeit, nicht für immer *37*

das **Vorurteil, -e** vorgefasste Meinung (ohne die Tatsachen zu kennen) *56*

W

der **Wacholder** kleiner Nadelbaum mit blauschwarzen Beeren *62*
die **Waffe, -n** Gerät, mit dem man kämpfen und töten kann *51*
wählen sich entscheiden, seine Stimme abgeben für etw./jdn. *46*
wahr wirklich, richtig *11*
wahrscheinlich vermutlich, es ist anzunehmen *10*
die **Währung, -en** Geld(einheit) in einem Land, z. B. DM, Dollar *42*
das **Wahrzeichen, –** Symbol, charakteristisches Merkmal/Gebäude *48*
die **Wallfahrt, -en** Reise – meist zu Fuß – zu einem Ort mit besonderer religiöser Bedeutung *74*
der **Walzer, –** Tanz im Dreiviertel-Takt *50*
die **Ware, -n** Produkt; Sache(n), die zu kaufen oder verkaufen sind *32*
das **Wattenmeer** Teil des Meeresbodens, der bei Ebbe trocken liegt, zwischen Küste und Inseln *63*
die **Weide, -n** Futterland für Kühe, Schafe, Pferde *62*
weitgehend fast ganz, so weit wie möglich *24*
der **Weltrang** Weltniveau *90*
weltweit in der ganzen Welt *35*
die **Wende** [hier:] der Umschwung in der politischen Entwicklung zwischen Ost und West 1989 *29*
die **Werbung** Reklame *58*
das **Werk, -e** [hier] Fabrik, Produktionsstätte *25*
das **Werk, -e** was jd. geschaffen hat (Kunst-, Literaturwerk) *11*
die **Werkstatt, ¨-en** Arbeitsraum, Produktionsstätte (z. B. von Handwerkern, Künstlern) *21*
das **Werkzeug** Hammer, Säge, Bohrer etc. sind Werkzeug *54*
wertvoll kostbar, teuer *106*
der **Wettbewerb, -e** Konkurrenz *83*
der **Widerstand** Opposition, Sich-Wehren *41*
widmen zueignen, z. B. jdm. ein Buch widmen *73*
wiederholen noch mal machen *20*
winzig sehr klein *63*
der **Wipfel, –** oberer Teil eines Baums *49*
wirken [hier:] erscheinen, aussehen *33*
wirksam [hier:] einflussreich *51*
die **Witwe, -n** Frau, deren Ehemann gestorben ist *100*
der **Wohlstand** hoher Lebensstandard, Reichtum *43*
das **Wohnmobil, -e** Caravan *29*
der **Wortschatz** alle Wörter einer Sprache; alle Wörter, die jd. verstehen bzw. anwenden kann *86*
das **Wunder, –** ungewöhnliches, „übernatürliches" Ereignis *43*
die **Wut** Zorn, großer Ärger *44*

Z

das **Zeitalter, –** Ära, Epoche *36*
zementieren [hier:] festlegen, -schreiben *44*
zerschlagen * vernichten, kaputtmachen *36*
zerstören kaputtmachen *27*
zeugen dokumentieren, zeigen *48*
das **Zeugnis, -se** Dokument *60*
das **Ziel, -e** Ort/Sache, den/die man erreichen will *29*
die **Ziffer, -n** Zahl(zeichen) *111*
der **Zivildienst** Alternative zum Militärdienst, z. B. im Krankenhaus *22*
der **Zoll, ¨-e** Abgaben, Steuern, die man beim Passieren bestimmter Orte oder Grenzen zahlen muss *74*
die **Zubereitung, -en** Vorbereitung und Herstellung von Speisen und Getränken; das Kochen *76*
züchten aufziehen (Tiere, Pflanzen) *28*
zufrieden froh, glücklich *13*
die **Zukunft** Zeitraum, der vor uns liegt; Morgen *16*
in **Zukunft** in der Zeit, die vor uns liegt *24*
zuliebe aus Liebe zu *16*
zum Teil teilweise; nicht ganz/immer *35*
zumindest wenigstens *13*
zunehmend immer mehr, wachsend *39*
der **Zusammenbruch, ¨-e** Vernichtung, Ende *38*
zusätzlich noch dazu, ergänzend *20*
der **Zuschuss, ¨-e** Zuzahlung, finanzielle Hilfe *19*
zutreffen * stimmen, richtig sein *70*
zuzüglich plus, hinzukommend *97*
der **Zweig, -e** [hier:] Branche *36*
zwingen * jdn. mit Gewalt dazu bringen, etw. zu tun *88*